智能商业

曾鸣 _ 著

中信出版集团 · 北京

图书在版编目（CIP）数据

智能商业 / 曾鸣著. -- 北京：中信出版社，
2018.11
ISBN 978-7-5086-9576-1

Ⅰ.①智… Ⅱ.①曾… Ⅲ.①商业模式 – 研究 Ⅳ.
①F71

中国版本图书馆CIP数据核字(2018)第 224407 号

智能商业

著　者：曾　鸣
出版发行：中信出版集团股份有限公司
　　　　　（北京市朝阳区惠新东街甲 4 号富盛大厦 2 座　邮编　100029）
承 印 者：北京盛通印刷股份有限公司

开　　本：880mm×1230mm　1/32　　印　　张：9.5　　字　　数：160 千字
版　　次：2018 年 11 月第 1 版　　印　　次：2018 年 11 月第 1 次印刷
广告经营许可证：京朝工商广字第 8087 号
书　　号：ISBN 978-7-5086-9576-1
定　　价：68.00 元

目　录

第一部分　智能商业

01　智能商业大变革

02　互联网的本质

03　智能商业双螺旋之一：网络协同

目 录

马云　|阿里巴巴集团创始人|

1995 年，我去美国，第一次看到互联网。我尝试在网上搜"中国啤酒"，但一无所获。看到这样的结果，我决定回国创办一家公司，想要把互联网带到中国，把中国带向世界。那时中国还没有在线业务，不像现在，互联网无处不在。回望过去，真的很难想象世界的巨变。

1999 年，阿里巴巴在我的公寓成立，最初不过 18 人，但我们有共同的梦想，就是要用互联网技术改变落后的商业行为。今天，我们为全球近 10 亿消费者、数百万企业提供服务。通过帮助其他人发展，我们自己也获得了长足的发展。我们参与改变了世界。

商业推动社会进步。为了让天下没有难做的生意，阿里巴巴形成了独特的商业模式。我们从来就不是一个简单的 B2C（企业对消费者）公司。我们是一个拥有数百万成员的商业生态系统，包括商家、软件服务商和物流伙伴。我们在 1999 年时的梦想在今天变成了现实，互联网真正开始造福于数十亿人。

　　然而，这仅仅是开始。到 2036 年，阿里巴巴希望能服务 20 亿客户并创造 1 亿个就业岗位，帮助 1000 万个企业形成连通线上和线下的可赢利的业务，推动全球数字经济升级。

　　在第一次和第二次工业革命之后，工厂和公司占据了经济活动的主导地位。今天，占据主导地位的则是平台和商业生态系统。它们将推动数字经济的全球化发展。平台与商业生态系统为全世界的"小人物"提供了参与全球市场并获得成功的工具。

　　曾鸣在 2006 年加入阿里巴巴，并成为我们的"总参谋长"，参与公司整体战略的制定和执行。从那时起，我们就紧密合作。当我邀请他加入阿里巴巴时，我承诺，总有一天，阿里巴巴将会是他写下的最激动人心的商业案例。

　　今天，这一切都成真了！凭借其对阿里巴巴的深入理解和强大的学术背景，曾鸣博士的这本著作不仅分析了阿里巴巴的成长史，更重要的是阐述了阿里巴巴开创的新的战略框架，以及这一框架对于其他创业者的意义。这本书在理论深度和实践指导上实现了难得的平衡，是数字经济时代的一本商业创新指南。

　　1999 年，我们看到了机遇。但现在，我们更看到了挑战。世界上还有许多问题有待解决，但我很乐观，大家都应该乐观。优秀的创业者本性上必然是乐观的，他们会问自己可以解决什么问题，或者如何用更好的方法解决现有问题。在这个数据技术和智能商业的新时代，我们不仅要成全自己，更应该成全别人，这样我们才能让世界变得更加美好。曾鸣博士的书和阿里巴巴的故事会启发大家怎么做。

　　数字经济是人类伟大未来的重要组成部分。我很高兴阿里巴巴为此做出了自己的贡献，但还有很多工作要去完成。你们应坚持理想主义和抱负，更需要脚踏实地。如我经常所说，今天很残酷，明天更残酷，但后天会很美好。我迫不及待地想要看到你们将创造的美丽新世界。

本书的渊源，可以追溯到 1993 年。

那年秋天，我到美国的伊利诺伊大学香槟分校攻读国际商务与战略学博士学位。不久，一款叫作"Mosaic"的软件迅速在校园里流行起来，它提供了一个简单的工具，可以浏览互联网上开始涌现的内容。这是全球第一个大众化的互联网产品——浏览器。很快，它更名为"Netscape"，也就是大家耳熟能详的"网景"，并在 1995 年完成 IPO（首次公开募股）。这成为互联网商业化的里程碑，并直接引爆了第一次互联网大浪潮——没有网景，就没有在线内容的井喷，以及后来的门户网站，也就没有搜索引擎，人和信息的在线连接更加无从谈起。

虽然有幸成为互联网最早的原住民，但当时的我完全没有意识到互联网的巨大可能性。直到 1999 年网络热浪涌现，我才开始系统地研究互联网。很幸运，我做的第一个案例研究对象就是刚刚成立不久的阿里巴巴公司。2003 年，我成为阿里巴巴的战略顾问，

2006 年全职加入阿里巴巴，负责战略工作，转瞬 12 年。

有价值的战略研究，一方面需要深入实践，问题驱动；另一方面，又必须有足够的前瞻性和体系化，所谓抬头看路。本书就是我 18 年研究、工作和思考的结晶。

2007 年 9 月，阿里巴巴集团战略会第一次提出后工业化时代和电子商务生态系统的概念，也是我们第一次看到千亿美元市值公司的可能性。2009 年，对于是否进入云计算领域的讨论让我意识到，云计算对于互联网时代的价值，就像电网对于第二次工业革命的价值，这将是一个历史转折点。基于这样的判断，2010 年，阿里巴巴集团明确提出了互联网时代将呼唤全新的商业文明。2011 年，阿里巴巴开始感觉到数据的价值，新成立的小额贷款公司被要求基于云计算和大数据，开始商业模式创新的探索。2012 年，阿里巴巴提出 C2B（消费者对企业）的商业模式创新。2013 年，阿里巴巴设立了首席数据官的岗位，全力推动大数据和机器学习方面的技术进步与商业创新。2014 年，马云提出数据时代的概念。2015 年，淘宝网千人千面的个性化推荐开始释放巨大的客户价值。2016 年，马云进一步提出了"五新"战略和互联网经济体的思想。

在互联网前沿的核心地带工作和思考，每一天都被问题追赶驱动，永远有新的困惑，这是弥足珍贵的经历。问题足够新、足够复杂，没有现成答案，我们被迫基于现实追问本质，被迫跨越现有的知识门类广泛阅读，被迫回到人类历史当中寻找某种参照或知识。大部分时候虽然仍旧困惑，但当看清楚一点远方和终局时，尤其是当这种认知可以惠及平台上的众多参与者时，当中的快乐难以言述。

自　序

我和同事们深深意识到自己的幸运，也深深知道，在当下这个世界中，有多少同伴也在同样的追寻过程中。我们愿意把自己的所思所得和大家分享、讨论，也愿意告诉更广阔世界的人，我们正在置身于怎样的历史进程中，不论理解不理解，不论愿意不愿意，没有人可以避开。不被前行的历史抛在身后的唯一方式，就是主动拥抱变化。

所以我有了写作本书的想法，但没想到一写就是6年。

在2012年发表的两篇文章中，我第一次系统地提出了C2B、网络协同等概念。基于这些思考，实际上2013年我就写出了本书的第一稿。但完成初稿之后，我总觉得许多概念缺乏案例支持，无法讲透，同时，全书也缺乏一个统一的框架。于是，这5年，我不断地把这个初步理论框架和实践创新反复迭代，把书的框架更迭了数十次。

感谢在前沿领跑实践的人，尤其是2015年以来在大数据和人工智能领域内的先行者，他们的实践让我有机会补上了本书逻辑中最重要的一环——随着对大数据、算法和人工智能理解的深入，我终于提炼出了未来商业必须全面智能化的主线。同时，阿里巴巴集团和众多创新企业在C2B和网络协同方向不断努力，也让协同网的价值、机制，以及和生态系统的关系逐渐清晰起来。数据智能和网络协同的融合，让我意识到这就是未来商业文明DNA（脱氧核糖核酸）的"双螺旋"。

这个框架试图把握这个时代大变革的本质。本书将全面展开阐述这个框架的推演过程，以及如何有效地运用这些概念和理论来指导商业创新。希望本书在读者思考未来时能提供一个简洁而有力的思考框架。

在写作的过程中，我们确信在这个时代将出现万亿美元市值的公司，它们是智能商业到来最显性的标志。2018 年 8 月，这个预判成为现实：苹果、亚马逊已经率先进入万亿美元俱乐部。

作为一本讨论互联网的书，如果仅仅出版传统的纸质书，感觉还是没有实践自己倡导的理念。实际上，这两年曾鸣书院的公众号和湖畔大学的 App（应用程序）频道，已经成为和大家互动的良好平台，很多的线上反馈也直接帮助了本书的写作。如果大家想就书中的内容与我们探讨，可以在这两个平台和我们交流。

精彩刚刚开始，祝大家成功！

　　本书试图勾勒的是未来商业的大蓝图，那么，怎样理解和应对这样的未来呢？这几年，因为创办湖畔大学，我有机会跳出阿里巴巴，接触了更多的不同类型的创业企业，这让我开始意识到大家对未来的感知的确很大的差别。其中有一个很重要的原因是，中国不仅一直是一个快速变化的市场，也一直是一个发展很不平衡的市场。技术变革、政策环境经济结构变化带来的商业大变化，不仅激烈，而且迅猛，变化周期又很短。所以经常会在一个时间点出现三个发展周期的叠加。在当时的那个时间点来看，三种模式都有很不错的发展，非常难判断到底什么才是未来的趋势，也不知道如何做战略选择。如果公司错误判断趋势，导致战略上的保守，很容易被下一个浪潮快速淘汰。所以理解和判断我们到底在什么样的时代、面临什么样的机会，是战略决策的第一步。我把中国这个市场的发展特殊性称作"三浪叠加"的时代，它把我们面临的挑战复杂度又提升了两个量级。

2008 年，淘宝全年的零售总额达到 999 亿元，当年最大的三家零售企业分别是国美、苏宁和百联，都是刚刚超过 1000 亿元。如果回到 2008 年这个时点，把传统零售称为 1.0 模式，国美、苏宁为 2.0 模式，淘宝为 3.0 模式，那么当时国美、苏宁的 2.0 模式正如日中天，正在经历一个超高速发展的阶段。传统零售的发展势头其实也很好。而当时虽然淘宝的零售额每年都会翻倍增长，但毕竟总量还小，而且模式依然受到很多人的质疑，认为增长随时会停滞下来。

那个时间点，对于零售来说就是一个典型的"三浪叠加"的情况，三个模式发展得都不错，也都有自己的信仰者，而未来到底会怎样展开其实很不明朗。其实，在这个时间点做的战略选择，直接决定了企业未来的命运。短短 4 年后，到 2012 年，淘宝全年的销售额就超过了 1 万亿元，遥遥领先，而传统零售却开始负增长，2.0 模式的增长也开始缓慢起来。

如果我们带着今天的理解回到 2008 年，战略选择当然会很容易，可是谁也没有能够预知未来的水晶球。其实，我们今天面临的几乎是同样的挑战，比如女装行业，传统的品牌例如 ZARA（飒拉）、优衣库和新兴的女装网红品牌各有千秋、相互学习；又如旅游行业，传统旅行社、携程、穷游等，以及新兴的个性化旅行定制平台，也构成了"三浪"。

"三浪叠加"在中国很多产业中都是一种十分常见的现象，而我则聚焦在智能商业的未来，讲的主要是 3.0 模式的选择。在当下这个时间点，到底是选 1.0、2.0 还是 3.0 模式，每一个人、每一个行业具体情况不一样，无法给出统一的答案，所以在这里只能分享一些决策心得。

　　无论是在哪个时间点，当 3.0 模式出现之后，1.0 模式的企业就要非常小心了，因为发展空间看起来还在，但是很可能会突然进入断崖式的困难期。就像 2012 年很多传统服装大佬依然不相信淘宝这个平台的潜力，也不认为淘品牌能够对它们形成任何威胁。但是到 2013 年，很多传统服装品牌开始大滑坡、大规模关店。对于 1.0 模式的企业来说，在看到 3.0 模式之后，一定要尽早做准备，能够趁大部分人没有反应过来的时候套现退出，其实就已经是很好的结局了。

　　2.0 模式的企业其实没什么选择，因为眼下正是这些企业风头正劲的时候，虽然出现了一些未来挑战者的苗头，但绝大部分企业不会放弃看起来非常好的增长，而去做所谓的战略升级。不过，在 2.0 模式企业工作的个人选择的空间会大一些。也许有少量的、有眼光的人会加入 3.0 模式的创业企业，但这样的人肯定是少数。一方面，有这种眼光的人本来就不多；另一方面，这批人的机会成本很高，往往都已经是行业中呼风唤雨的人，所以很难放弃原有的地位。

　　3.0 模式的创业者，如果你相信这是未来，那么需要做的只有勇往直前。当然从 0 到 0.1，到 1，再到 10，每一个坎儿都是巨大的挑战。有一批人虽然相信 3.0 模式的未来，但或者觉得这个未来还很遥远，或者觉得 2.0 模式目前利益巨大，希望能先抓住眼前的部分利益，再考虑 3.0 模式的事情。这是一种很理想的想法，但是在实际中，当一个企业的大部分资源都投入到 2.0 模式时，其实很难再去吃 3.0 模式创业的苦。所以当 3.0 模式的"浪"真正打来的时候，往往只有那批专心致志、苦苦探索 3.0 模式的人，才能够快速地奔跑起来。

我还有一个心得和 3.0 模式的创业者分享。在"第三浪"发展的早期，你能看清的利益肯定都不够大。如果你过早地去追求刚出现的利益，就很有可能错过未来真正有价值的大机会。只有当浪大到一定程度的时候，真正的宝贝才会浮现出来。对于下决心追"第三浪"的人来说，既然已经选择这条路，只要有可能，还是应该坚持长远目标，憋大招。

淘宝能够有今天的成就其实也是憋大招的结果。2006—2007年，其实淘宝的流量已经非常大了，赚钱的方法当然也有很多。但是，当时马云依然觉得淘宝还处于发展的早期阶段，无法看清未来，远没有到可以讨论赢利模式的时候。所以淘宝当时宣布了开店再免费三年的政策，进一步推动了淘宝的大发展。在随后的两年中，由于技术的发展，淘宝最终找到了适合自己的精准广告模式，在投入 9 年后开始大规模赢利，这就是坚持的价值。当然，大家也可能会发现，真正能够坚持下来的人，其实往往不是因为利益算计得很准，更多的时候，反而是因为使命、愿景的驱动，没有过多考虑短期利益，反而有了最后的大成。

15 年前，在写《略胜一筹》那本书的时候，我曾经总结过企业发展的周期，倒是和这"三浪"并发的提法很吻合。一个企业从创业开始历经好点子、好产品、好团队、好组织、好文化等阶段，千锤百炼终于成为行业的领导者，但这个时候往往 3.0 模式的挑战者已经悄然兴起，而行业的领导者却经历了看不见、看不起、看不懂、学不会、挡不住的阶段，最终被新兴者淘汰。今天我们面临的更大挑战是，原来这样的周期可能需要 20 年，而今天这样的周期可能只需 8~10 年就走完了，波澜壮阔的商业史就这样在一浪接一浪的商业变革中展开。

智能商业本质上是对未来的前瞻性判断，所以最适合的听众其实是在 3.0 模式下进行探索和创新的创业者。如果你觉得在你的产业和地区，2.0 模式依然在高速增长，甚至 1.0 模式的发展空间也很大，原则上可以不用管我讲的这些事情。只不过需要提醒大家一句，中国这个市场的发展周期已经被快速压缩，所以即使今天发展得非常顺利的企业，可能也要对我讲的这些类似天方夜谭的概念先有一些准备，就当作先给自己打一剂预防针吧。

第一部分

智能商业

人类文明的发展，主要不是依靠人脑的进化，而是通过社会化合作的不断创新和突破，带来生产力的大爆发。如今这个时代，网络技术和人工智能的不断发展，给商业以及整个人类社会带来了全新的可能性。网络协同和数据智能成为智能商业双螺旋的组成部分，网络协同会推动数据智能的发展，数据智能反过来也会驱动网络协同的扩张。二者循环往复，推动人类商业文明朝着智能化的方向不断演进。

01

智能商业大变革

智能商业时代已经来临，每个人都要顺势而为。有大抱负者要敢于取势，甚至勇于造势，只有这样才能成为新经济时代的弄潮儿和引领者。那么，智能商业究竟是什么？我们的未来又会因此发生何种改变呢？

智能商业：
网络和数据时代的必然选择

在一个经历剧烈变革和转型的时代，我们很难看清未来，越是这样，越需要有一个相对长期的展望。我们现在所看到的趋势，可能不仅是下一个10年的趋势，更可能是关系到未来20年、30年，甚至50年的大浪潮。今天我们眼前发生的一切都是一个新时代的开始。这不仅是一次经济模式的变迁，更是一次文明的变革，其意义不亚于人类社会从农业文明演进到工业文明。在这样的环境剧变下，我们有太多的机会，也有太多的挑战。

表1-1是1997年、2007年、2017年全世界市值排名前10位的公司榜单。在过去短短20年间，只有两家公司是一直留在榜上的，一家是石油公司，还有一家是微软。这是一个非常大的时代的变革，但是更大的变化是从2007年到2017年，在短短的10年时间内，除了微软和石油公司之外，其他8家公司都是第一次上榜。特别是6家互联网公司从10年前几乎默默无闻，到今天成为全球领先的公司，市值基本上都在5000亿美元以上。这些互联网的巨头

企业，究竟做对了什么？

表 1–1　1997 年、2007 年、2017 年全球市值排名前 10 位的公司榜单

1997	2007	2017
通用电气	埃克森美孚	苹果
荷兰皇家壳牌	通用电气	Alphabet（字母表公司）
微软	中国电信	微软
埃克森美孚	中国工商银行	亚马逊
可口可乐	微软	伯克希尔–哈撒韦
英特尔	荷兰皇家壳牌	阿里巴巴
日本电信电话	俄罗斯天然气公司	腾讯
默克	AT & T（美国电话电报公司）	脸书（Facebook）
丰田	花旗集团	埃克森美孚
诺华	美国银行	强生

　　我总结出三个重要方向上的创新。这些企业在这三个方向上，最少把握住了两个，并且在这些方向上都有了巨大的突破（见图 1–1）。

　　第一，在线化。身处互联网时代，你有没有联网，有没有在线，是最重要的一步。你连上了互联网，所有的优势才能为你所用；如果你跟互联网完全没有关系，这个世界只会离你越来越远。只有懂得如何将物理世界转换映射到互联网上的虚拟世界中，你才会有在这个时代中立足的根基，这也是微软能够 20 年一直在榜单中占据一席之地的原因。

　　微软最早的成功当然是 IT（信息技术）时代的 Windows 操作系统，但是，1996 年，比尔·盖茨下定决心，力推 IE 浏览器，并最终

赢得了这场战争的胜利：微软占据了PC（个人计算机）互联网时代最重要的基础设施——浏览器，并在此基础上衍生出了搜索服务等众多产品。如果说微软能够在搜索这个领域中站稳脚跟，是因为它占据了浏览器这一入口，那么，苹果公司之所以能够成为如今的庞然大物，则是因为它开创了移动互联网时代。iPhone手机奠定了移动互联网时代的硬件标准，苹果应用商店（App Store）确定了应用和服务的获取形式，iOS移动操作系统本身便是一个生态概念。在此基础上，苹果公司还整合了一系列智能服务。换句话说，现在的苹果公司是一家将硬件、软件、服务和生态全部合为一体的集大成企业。在它的基础上，全世界完成了移动互联网化。

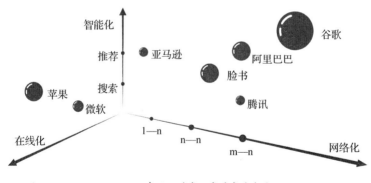

注：1—n、n—n、m—n，表示一对多、多对多的沟通。

图 1-1　智能商业的三个创新方向

第二，智能化。谷歌首席执行官埃里克·施密特最近说："现在是数据的时代，算法的时代。"在商业前沿探索的人，没有人会反驳这一论断。数据和算法，构成了智能的基本要素。谷歌的成功，最重要的是推动了整个商业的智能化进程。搜索是第一款大规模商业应用的智能服务，任何人在搜索框中输入一个关键词，就能够让全世界的知识为你服务，并能够迅速在秒级时间内获得你想要得到的信息。这是一个了不起的突破，我们今天回想起来都觉得这是一个奇迹。只有智能商业才能完成这样的突破，在第4章，我会详细解释原因。

除了搜索之外，智能服务的第二个核心产品是推荐。说到推荐，亚马逊公司可以说是这一领域的开山鼻祖，这也是它能够在营销端获得巨大突破最重要的基础。亚马逊另外一个重要的突破是，它把零售和物流全流程在线化，使得零售效率得到了巨大提升。

如果说亚马逊是在推荐方面走得最早的公司，那么腾讯和脸书就是在社交网络化方面走得最远的企业。这就是我要说的第三个方向。

第三，网络化。实际上谷歌的广告系统非常赚钱的就是一个由千万级的小广告主和千万级的网站所组成的高效生态。同样，脸书这几年的成功也是因为它在广告技术方面的突破。阿里巴巴，特别是淘宝，则是将网络协同和智能化这两个方面做成了一个紧密结合又互相促进的生态。

所以，我们可以看到如今最成功的互联网企业都是在在线化的基础之上，在网络化和智能化方面取得了重大突破，这是一个非常简单又很有效的分析和思考框架。

最近中国发展比较快的互联网企业，都是在这三个轴上有新的突破，才有可能在一个领域里面奠定自己的领先地位。今日头条就是走在智能化这条路上，它从传统的内容搜索走向内容推荐，并在这个点上打穿，成就了自己过去几年的爆发式成长。滴滴完成了打车服务的在线化，当然，前提是有了智能手机的广泛普及。由于有了地图服务，让在线定位变得非常清晰，在这个基础上，滴滴把打车服务变成在线服务，然后通过算法进行优化，成为智能服务，从而成就了自己。美团，一方面是把传统的生活服务在线化，另一方面也是在构建一个生活服务的协同网络。

我把这一批具有代表性的互联网企业统称为"智能商业"。之所以称为智能商业，是因为它们有几个非常典型的特征，是传统企业所不具备的。

低成本，实时服务海量用户

要知道，这些互联网企业的用户都是以 10 亿级别来计算的。充分利用互联网和算法的优势，这些企业能以极低的成本实时服务海量用户，这是它们做到今天的规模、赢利能力和市值的基础。

满足每一个用户的个性化需求

这是智能商业非常重要的一个特征。搜索是精准到你输入的每一个关键词，它给你的内容都不一样。也就是说，根据你过去的搜索记录以及你的一些性格特征背景资料，提供一个专门为你打造的搜索引擎。淘宝也是利用了过去这几年人工智能技术上的突飞猛进，实现了千人千面，让每个人看到的页面都不一样。淘宝还做到了实时更新，当你浏览完一些商品并再次登录时，你看到的商品已经是根据全网的数据，按照你的需求又做了一次调优。这种海量个性化服务，在工业时代是无法想象的。

服务自我更新与提升的速度

更重要的是，这些企业已经在很大程度上直接依赖机器在提供服务了。基于人工智能技术这 20 年的高速发展，在某些领域，机器已经拥有强大的学习能力。从这个意义上说，它也是一种智能，即可以快速学习，甚至比人在很多领域的学习能力还要强大。所以我们看到这些企业一旦实现智能化，无论是服务的效率还是服务的满意度，都在快速提升。

为什么这些企业能做到以上三点，这正是本书要回答的核心问题。

毫无疑问，这些商业的创新首先源于技术的重大创新。这些先行的公司，其实都是技术驱动的公司，它们利用最前沿的互联网和算法技术重构了整个商业的逻辑与运营规律，全面突破了工业时代的商业模式和效率。

可以预见，智能商业在今后很长的一段时间里，会像一辆无坚不摧的战车碾碎所有人心中已经布满灰尘的商业常识。在如此强劲的对手面前，传统商业无疑显得不堪一击，而理解智能商业的本质和发展趋势在今天已经是生死存亡的挑战了……

双螺旋构成：
网络协同＋数据智能

既然智能商业的时代已经势不可当，在我们感叹万物更迭、缅怀时代变迁的同时，更要打起精神推陈出新，才能有机会投身未来智能化的大浪潮中。那么，智能商业是如何构成的？

简单来说，智能商业最重要的两个组成部分分别是网络协同与数据智能（见图1–2）。二者机制不同却相辅相成，网络协同推动数据智能发展的同时，数据智能也成为网络协同扩张不可或缺的助力，共同构成了智能商业的双螺旋。就像我们的人类社会，这么多年以来，个体大脑的进化程度十分有限，但社会协同能力却迅猛发展，一日千里。所以，所谓的人类文明，最关键的并不是每一个个体，而是整个社会日益增强的协同能力，这才是我们这个时代最大的优势。

图1–2　网络协同和数据智能的"双螺旋"

网络协同

所谓网络协同，指的是通过大规模、多角色的实时互动来解决特定问题。以前我们解决一个问题，通常需要通过命令、科层制或者在简单市场中通过价格信号进行调整，但今天更多的是通过大规模、并发、多角色的实时互动加以实现。

举个例子，相信大家都很熟悉维基百科，或许正是因为太熟悉，以至我们都忽略了它是一个如此了不起的成就。维基百科是一个非常开放的知识共创平台，原则上全世界任何人都可以在上面贡献自己的思想。但是换个角度来说，你有权利修改任何一个词条，甚至可以恶意攻击它。当然，维基百科还有一键恢复的功能，如果你认为你的诠释更加准确，你可以再把它修改回来。

这样简单的协同工具以及一套协同规则，居然可以让我们在没有中央权威、没有传统命令机制的情况下，建立如此全面且庞大的实时在线知识库。要知道，中国有史以来最大的百科全书《永乐大典》，可是由明朝翰林院所有学士耗费了 6 年时间才编辑完成的。

再举一个大家很熟悉的例子——淘宝。淘宝不是零售商，我们不拥有任何一件商品，它是一个零售的生态圈，是一个赋能卖家的平台。淘宝之所以能够创造这么多奇迹，很重要的一个原因是淘宝演化成了一个社会化协同的大平台。在今天，即使是非常小的一个淘宝新卖家，也可以在线同时和几百个服务商合作，只需要有一个API（应用程序编程接口）的链接，就能调动相关的数据和相关的服务。相关的服务可以包括打通微博这样的社交渠道、蚂蚁金服提供的金融服务后台、旺旺的工作流以及各种营销产品。所以淘宝本身就是一个非常复杂的协同网络，而这个协同网络带来了巨大的社会化的价值创造（见图1-3）。

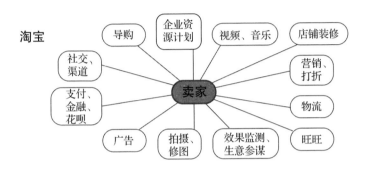

图1-3 淘宝卖家协同网

举这两个例子，就是想和大家说明怎样才能让一个原本被锁死在供应链里，只能进行线性沟通的角色，在互联网的平台上实现重构，进而形成一个实时互动的网状格局，这是每一个企业迈向智能商业的第一步。

数据智能

在了解网络协同之后，接下来要向大家介绍智能商业的第二个核心概念——数据智能。数据智能的本质就是机器取代人直接做决策，和传统的BI（商业智能）完全不同，这一点至关重要。如今，大多数企业都会有BI部门，用来分析数据，提供决策支持；核心的服务人群是高层管理人员。而数据智能强调的是运营决策直接由机器决定。比如每天上亿人到淘宝购物，每个人看到的商品都不一样，这么复杂的决策只能由机器来完成。在你的公司里，由人操作的环节能不能让机器直接代替，这是一个非常有效的评判标准，只要能替代，就是向智能商业的一次质的飞跃。

当然，想要让机器取代人进行决策，有几个非常重要的前提条件——云计算、大数据和算法。云计算和大数据相辅相成，如果没有云计算，我们就没有办法用极低的成本存储和计算海量的数据；而正因为有了处理大数据的需求，我们才会对云计算的要求越来越高。二者推动了整个数据行业不断高速发展。但想要让云计算和大数据真正创造价值，背后还需要"大脑"的支撑，也就是算法。

其实算法严格来说并不是机器，而是人，是算法工程师。它会将人的思考和人的角色进行模拟，抽象成一个模型，然后用数学方法给这个模型找到一个近似的解，之后再用代码把这个解变成机器可以执行的命令，这样就完成了一个机器大脑的构建。所以，算法其实就是将人对特定事情的理解转换成机器可以理解和执行的模型与代码。就今天人工智能的发展水平来说，它和人脑还是有很多不一样的地方。它的核心是靠海量数据的不断学习来优化决策，所以如果没有大数据的支撑，算法也就变成了无本之木，再也无法显露神通。

所以大数据和算法是机器学习的本质，这两者的结合才产生了快速迭代和快速优化。最好的例子就是 2016 年万众瞩目的 AlphaGo 大战世界顶级围棋棋手李世石。AlphaGo 的计算能力特别强，学习效率也非常高，它可以把人类历史上所有的棋谱都快速学会，在此基础之上进行优化。这种突出的学习和计算能力，使它很快就打败了人类棋手。此后不久推出的 AlphaGo Zero 在原有版本的基础之上，又取得了更大的突破，在某些方向上也代表了未来。AlphaGo Zero 甚至可以不用人的历史数据，不看历史棋谱，只靠左右手互搏，就能够达到一个更强的算法水平。因此，AlphaGo Zero 很快就打败了 AlphaGo，这一结果也从侧面证明了未来算法的突破还有很大的空间。

机器学习都基于反馈闭环，谷歌是最典型的例子。用户在搜索结果页上的每一次点击（或者一次点击都没有）的行为数据被实时记录，并反馈到算法引擎，不仅优化了用户的搜索结果，而且优化了任何搜索这个关键词的人得到的搜索结果。机器学习的反馈闭环必须是业务天然的一个有机部分，用户行为本身留下来的数据在帮助机器学习，这才是一个自然的智能商业循环。所以，在未来，任何一个企业都是服务企业。因为用户真正要的是服务，而不是产品。也就是说，在未来，每一个企业都必须有一个和目标客户在线互动的界面。除此之外，我们还能得出另一个推论：任何一个硬件制造商未来可能都会是这个服务组合中的一部分。制造不再会成为一个独立企业，而是成为他人服务闭环里的一个承载者，或者自己建立一个 2C（对消费者）的沟通渠道。

对于绝大多数企业来说，今后 10 年，最难的其实是创造一种产品和服务方式，把原来离线的用户在线化，产生一个持续的互动，这样才能实时记录用户的反馈，也才能优化算法、优化服务。谁先完成这个闭环，谁就占据了最大的优势。

"客户服务"就是这样一个典型应用。阿里巴巴过去非常头痛的一件事就是需要大量的客户服务人员，并且随着每年业务的增长还要增加一两千的客户服务岗位。所以我们从 2015 年的"双十一"开始，就在内部尝试能不能用人工智能的方法，让机器人承担客服工作。随着测试的成功，我们在 2016 年就请了 9 家主要商户一起来创造客服机器人，并且在 2016 年的"双十一"批量上线。到 2017 年，已经有 3 万个商户使用了我们的人工智能，也就是"阿里小蜜"。

我们还有一个更有意思的发现，就是当我们在担心人工智能越来越多地取代人的工作时，它却创造了一个新的工种，我们将它命名为"人工智能训练师"。阿里小蜜只有数据训练出来的"智商"，大概相当于一个五六岁的小孩。然后我们将比较优秀的客服人员培养出来，跟机器进行互动，帮助机器学习。作为训练人工智能的人，他们得到了整个客服领域最高的薪资。

所以，我们不需要担心人工智能超越人的能力。人的创造力和机器智能进行有机结合，这可能是未来另外一个非常重要的趋势。

未来已来，
智能商业将走向何方

在过去 20 年的发展里，智能商业已经完成模式的创新和能量

的积累，并成功孕育出价值万亿美元的公司；在未来的 10 年，它很可能会迎来一波爆发式成长。浮云一别后，流水十年间。仅仅 10 年的时间，如今的市场可能就会沧海桑田，可以肯定的是，那时候能够称王称霸者，必定是了解智能商业、掌握双螺旋的公司。

2007 年，阿里巴巴估值不到 100 亿美元，但是在 2007 年年底 B2B（企业对企业）部门在香港上市后，整个集团的市值直接蹿升到 200 亿美元的级别。当时阿里巴巴给了所有员工一个选择：可以把手中所有集团股票的 30% 转成 B2B 上市公司的股票，也可以留下来作为集团的股票等待未来增值，也就是未来以淘宝和支付宝为主的增值。绝大部分员工都选择相信上市公司的快速增长，而没有选择淘宝的未来。2012 年发生了同样的故事，那一年是阿里巴巴上市前最后一次融资，不到 400 亿美元的估值，也允许员工卖掉 30%，基本上都卖掉了。

我们可以看到，对于一家公司来说，10 年的时间可以发生很多事，甚至发生翻天覆地的变化。那么在未来的 10 年里，你会选择在熟悉的圈子里故步自封，还是选择跳入新的浪潮，在这个大爆炸的时代一展抱负、大展拳脚呢？

其实，今天，大家心目中实力强劲、强大无比的公司，也仅仅是在在线广告、在线零售和在线社交三个方面取得了足够大的进步。绝大部分的经济领域都还是一个个基本空白的竞技场。

在未来 10 年里，智能商业的发展依然要靠三条主线的突破。

在线化

IoT（物联网）毫无疑问是下一轮在线化的巨大机会。我们经历了PC互联网和移动互联网，下一步肯定是物联网，也就是万物互联、实时互动的一个新阶段。由于芯片和传感器的快速发展和成本的急剧下降，物理世界中所有的一切都会在虚拟世界中得到映射，IoT对于社会的发展将是极具渗透性的，它将极大地扩大智能商业的边界。

IoT的本质是一种新的人机交互方式。在PC互联网时代，人是被键盘锁定的；移动互联网时代，人是被手机锁定的；到IoT时代，人的五官得到极大延伸。语音识别技术已接近成熟，在人的手被占用的情况下，语音达到了一定的稳定性和准确度，自然就成了手的延伸。另外，人脸识别可以说是视觉感知能力的延伸。应用级AR（增强现实）设备在接下来的时间里肯定会出现，我在试用国外比较领先的AR公司产品时，第一反应是将来我们真的分不清什么是虚拟现实、什么是真的现实了，因为它让我们的眼睛完全没办法判断这个源头是一个虚拟的源头还是一个真实的源头。

当我们的五官乃至大脑都能通过某种方式直接跟整个计算网络连接在一起的时候，那种效率的提升是无法想象的。同样，物理产品之间的互动也会越来越智能化，因为它有信号，有通信模块，有计算模块，有感知模块，有处理模块，所以物和物之间能够对话，也能够进行判断、互动和协同。这是一个非常重要的方向。

IoT里程碑式的产品，很可能是无人驾驶汽车。未来5年，无人驾驶汽车的技术应该会相当成熟。这是一个如此巨大的产业，当这个产业被突破之后，芯片、传感器、人工智能、各种成本都会几何级数地下降，很多原来用不好、用不了 IoT 的场景，就都能够被在线化了。

智能化

人工智能（AI）在过去的 10 年中，就已经产生如此大的价值；对于未来，虽然每个专家的判断都不一样，但大家公认的是，人工智能技术的进步必然会持续不断地保持高速发展。未来，对大部分的企业来说，不用担心算法有多难，也不用担心招不到算法工程师，因为算法会像云计算一样成为一项基础设施；算法对大部分应用企业不会是一个壁垒，反而是一个有力的工具。谷歌、阿里云这样的公司会提供开源的算法服务，而大部分应用只需要自己设定参数，然后调用相应的算法服务就好了。算法服务的普及将极大地推动智能化的发展。

协同网络的扩张

第三个重要的领域，则是协同网络的急剧扩张。也就是说，当一个网络发展成长后，会自然地向外扩张，导致整个经济网络化的进程同步加速。我前面提到，谷歌把广告在线化了，淘宝把零售在线化了，包括这两年网红的发展，其实也正是营销的互联网化。当前台的应用都互联网化之后，自然会带来从制造到采购的全链路的重构。比如在服装领域，要想进一步做到个性化服务，其实制约不是在前端，而是在整个供应链体系，包括布料的采购、布匹质量的检验等很多环节还是完全离线的，这些环节都会逐步在线化，被并入这样一个协同网络，更好地满足客户需求。

几乎每个行业都会经历一个从传统的、封闭的、线性的供应链，走向开放的、价值协同网的完整过程，这中间有巨大的商机。

所以，我们能看到未来有两个比较重要的趋势。第一个趋势是现有的智能生态会持续"爆炸"，多元物种会蓬勃发展。如今很多人说阿里、腾讯的生态圈过于强大，抑制了某些创新的发展，殊不知在这些生态圈的内部，也孵化出了很多有价值的企业。像10年前的淘品牌"御泥坊""韩都衣舍"等一批企业，已经进入上市浪潮。还有腾讯平台上诸多开放的企业，也会在近年成为上市公司。由此可以看出，当一个生态"爆炸"的时候，各种各样的物种都会水涨船高，得到巨大的提升，接下来百亿级的公司也会越来越多。

第二个趋势是颠覆式的技术形成新的黑洞。如果两年前我讲区块链、比特币，可能大部分人都不了解，但如今已经不需要我再解释了。我们能看出，由于区块链对生产关系可能进行的重构，将给整个社会带来一场大变革。所以，区块链是目前已经看得到的一个颠覆式技术。人工智能在接下来的10年中能否形成一个颠覆式的第二次创新，外界争议还很大。但是由于持续性的进步，人工智能有可能在未来某个时间点完成下一次大的突破。接下来，AR也会有很大的可能性，技术进步的速度丝毫没有放慢。这就是我们如此强调未来智能商业演变的原因，因为它源头的技术进步还在不断发展。在新一轮传统产业升级为智能商业的过程中，特别是本身就有几十万亿级的大产业，一定会出现平台级、生态级的领先企业，这应该会是接下来 10 年的主流趋势。

在接下来的 10 年中，智能商业的格局会渐渐确定下来。如果想要在未来的世界中迎风而起、独领风骚，那么你必须在其中一个领域有足够大的发展和突破。这是至关重要的 10 年，也会是创造历史的 10 年。不过在展望之前可以先停下来看一看互联网 20 多年的发展历史，然后试图理解其背后的本质因素，这对我们思考未来会有很大帮助。

02

互联网的本质

互联网，毫无疑问是 21 世纪最重要的一场技术革命，它让当下的一切从根本上发生了改变。从网购、在线支付到社交网络，绝大部分人的生活已经无法离开互联网的各项产品与技术。实际上，互联网对于商业的改造还远远没有结束，新的名词和现象层出不穷，这些其实都代表着互联网一浪接一浪的持续发展。想要理解互联网的本质切入点，不妨将目光集中在"互联网"这个词上，它也代表了互联网发展的三大阶段——联、互和网。

联：
改变物理世界的底层技术革命

在我看来，互联网的第一个关键词是"联"。联是指连接，这是一个很容易理解的概念，就是将所有人通过互联网连接起来。但是在连接的背后还有一个非常重要的意义——完成所有物理世界的在线化。

连接，是指物理世界与Internet（因特网）的世界连在一起，也可以称之为"在线"。"互联网"这个词，在英文中实际上对应的是两个不同的词语：一个是Internet，另一个是Web（万维网）。Internet指的是将所有机器连接在一起的基础设施，比如路由器、光纤、电脑。如果没有这些基础设施，这些机器显然无法连接在一起。而Web这个单词，我将在下一个关键词"互"中具体展开，这里先略过不表。

在过去的20多年里，这些基础设施一共经历过三次大的浪潮，分别对应的是互联网技术的三个发展阶段：PC互联网、移动互联网和万物互联网。这三个阶段代表连接日益广泛的进程，这是最重要的底层技术革命。

连接 1.0 时代：PC 互联网

首先是大家都很熟悉的 PC 互联网，也就是连接的 1.0 时代。在那个时代里，通过电话拨号上网是一件让人非常痛苦的事情，不仅网络连接的速度慢，连接的质量也十分不稳定，动不动就会掉线、断网。不过，由于这些都是发生在 20 世纪 90 年代的事情，现在的很多年轻人可能对这些都已经没有记忆了。

对于连接而言，最重要的是速度。只有信息能够同步分享，内容能够同步呈现，连接才有存在的意义。从这个角度看，可能正是因为在连接 1.0 时代里，互联网存在诸多不尽如人意之处，才使得人们并没有感觉自己的生活因此发生了翻天覆地的变化，虽然很多服务，例如在线资讯、搜索等已经广泛存在。

连接 2.0 时代：移动互联网

让大家有更强烈体验的是 2007 年 iPhone 上市带来的第二个浪潮——移动互联网革命。通过 3G、4G 或者 Wi-Fi 上网，手机变成了一个最常被使用的终端，成为互联网连接的起点与入口。移动互联网通过类似 App Store 的方式带来了 App 的大爆炸，越来越多的知识、服务和产品可以通过 App 的方式提供给用户，这使得商业生态变得更加繁荣，连接 2.0 时代由此正式登场。

这个时代对人们生活的影响难以用语言描述，几乎所有人的生活都因为它而发生了改变。连接的高速化、移动化让所有事情都变得高效起来，无论是工作，还是学习，甚至人们的感情生活，都因此加快了脚步。可以说，这个时代的到来变相延长了我们的生命，当然，也加剧了我们的生活压力。

连接 3.0 时代：万物互联网

更让人充满期望和想象力的则是连接 3.0 时代，也就是万物互联网（物联网）时代。物联网在英文中叫作"Internet of Things"，我们总是习惯性地将其简称为 IoT。很多人对这种期望无法理解，不知道为什么人们对这样的时代如此向往。对此，我可以举一个简单的例子——二维码。

其实，二维码技术早在 20 世纪 40 年代就已产生，但它得到飞速发展和广泛使用还是在近几十年间。如今很多人都已经养成这样一个习惯：只要到了一个地方，都会先看一下是否有二维码可以扫描，无论是支付、防伪还是点菜等。二维码其实就是将原本一个相互割裂的物理世界连接到互联网上，使任何一个事物都不再是孤立的个体，而是变成在线的一部分、网络的一部分，也变成这个新世界的一部分。

再举一个例子，经常在网上购物的朋友可能已经发现，近些年中国物流的整体效率得到了明显提升，其源头当然是巨大的技术进步。比如，原本在我们收到的快递包裹上面都会贴着传统的标签，标签上写着寄件人和收件人的相关信息。现在我们收到的很多包裹上只有一个小小的二维码，这个二维码已经将包裹的信息用数据化的方式表达了出来。正是这个小小的改动，让物流中的所有环节都仅需扫描一下二维码，就可以知道这个订单或包裹的状况，物流产业链的效率得到了很大提升。

二维码只是一个很小的技术。由于芯片和传感器的高速发展，很小的物理器件都能联网、在线，进而通信、互动。任何人、任何物、任何时间、任何地点都在线，这是一个让人向往的万物互联的新时代。

但是，时至今日，还没有出现一个像iPhone那样的里程碑式产品，能够让我们觉得整个世界都进入了物联网时代。大家之所以对无人驾驶汽车技术有很大的期待，很重要的一个原因在于，如此重要的一个工业时代的产品，所有人都离不开的汽车大产业，都可以实现在线化和联网化，那么很可能预示着整个社会的方方面面都可以被物联网技术改造。

其实无人驾驶汽车技术的最早出现，距离现在已经有几十年。不过因为最开始时技术并不成熟，驾驶风险很大，所以一直没有取得跨越式的进展。直到近些年，随着人工智能技术的日益进步，无人驾驶汽车拥有了可量产、低风险的技术基础，才逐渐被人们熟知、向往与认可。谷歌一直是无人驾驶领域的先行者，从2009年起就已开展无人驾驶汽车项目。自那时开始，众多科技公司以及汽车制造商也开始大力投资此类项目。2018年，谷歌终于开始了智能化汽车的尝试运营。

我们期待由于芯片和传感器的广泛使用，能够让任何物体都变得智能化，可以跟人一样连接在同一个网络里。如果这个想法真能在某一天变为现实，整个人类社会的互动、沟通和协作效率就会达到一个前所未有的高度。对此，我们拭目以待。

互：
让交流沟通具备无限可能

说完了互联网的第一个关键词——联，再让我们看看其第二个关键词——互。"互"指的是互动。到目前为止，在所有的技术变革中，绝大部分的技术都是单向的。比如，报纸你只能看，电视你也只能看，而收音机你只能听，等等。当然，也有极少的技术不止于此，比如电话就是双向的。但是，电话能够承载的多人沟通能力十分有限，而互联网却不同。互联网最大的价值在于能够支撑无数人同时互动，这样的属性使它即便是放到未来的任何一个时间点，也依旧有足够大的发展空间。所以，究竟怎样的商业模式才能更好地利用这个技术优势，就变得极有讨论价值。

需要强调的是，我们在这里讨论的互动，是指完成"在线化"这一阶段之后，人与人、人与物，甚至物与物之间都能够持续联动。互动的前提是连接，正是因为拥有物理性质的因特网将人和物都连接在了同一个网络里，才让大家可以用以前不可能实现的方式进行多对多的实时互动，进而产生了非常丰富的内容和体验，也就是Web这个最早被翻译成万维网的服务。随着技术的发展以及产品的不断创新，Web其实也经历了三个阶段，我们可以将其称为"互动的三个阶段"：互动 1.0 时代、互动 2.0 时代和互动 3.0 时代。这三个阶段代表着互动日益深入、体验日益加强的互联网发展进程。

互动 1.0 时代：一对多的门户广播模式

互动 1.0 其实是一个群雄并起的时代，这个新的理念提出后，有心者蜂拥而入，抢占市场资源。其中，对互动 1.0 初期贡献巨大的都是一些大家耳熟能详的公司，比如雅虎、新浪、搜狐等。

就像早期的所有创新一样，新的技术都被用来模仿旧的方法。互动 1.0 时代其实只完成了一件事情，那就是把内容搬到了网上，让其实现在线化。虽然在这个初级的互动时代中，确实产生了那些时至今日依旧让人津津乐道的门户网站（新浪、搜狐、网易是典型代表），但它们并没有改变互联网的互动方式，一对多的门户广播模式占据了那个时代的绝对主流，几乎没有用户能够和门户主体进行互动。

互动 2.0 时代：以关注为典型代表的创新型互动

随着技术的发展，特别是移动互联网的发展，互联网世界很快进入互动 2.0 时代。很多以互动为核心的企业纷纷推出了以分享、社区为核心的创新型互动产品，比如微博、推特和Instagram（一款社交应用）。这种改变在现在看来十分常见，但在当时确实让业界产生了极为有趣的变化，并且产生了巨大的影响力。

在这些产品创新中，大家最为熟悉的其实是"关注"。"关注"

的出现，使人与人之间出现了一种和之前截然不同的互动方式。你可以在这些互动产品上关注任何一个你感兴趣的人，当对方发出一条信息时，你能够在第一时间接收，甚至与其互动。所以，类似微博、推特、Instagram这样的产品在极短的时间内便拥有了海量的用户基础，有了与那些门户网站前辈一较高下的底气和雄心。

在中国，这类软件产品中被使用最多的应属微博。提起微博，大家可能认为它只是一个加强人与人之间联系的普通社交平台。其实，这样的沟通形式，让整个社会都发生了深刻变化。

微博成为很多普通人展示自我的舞台。在人类文明高速发展、文化水平普遍提升的今天，展示自我、获取自信心与成就感，成为人们生活中的主旋律。从产品的角度而言，这只是一次微不足道的产品创新，但让人与人之间的联系与沟通往前迈了一大步，这又怎能不让人惊叹？这种互动网络结构，也使信息获取的效率有了大幅提升。

互动 3.0 时代：社交网络服务

只要人类不停下探索的脚步，技术发展的车轮便永不停歇，互动 3.0 时代由此应运而生，其中的典型代表是两个SNS（专指社交网络服务）的大产品——美国的脸书与中国的微信。

不管你是否承认，如今大部分人都已经完全"黏"在了这两个社交网络平台之上。它们基本上已经和普通百姓的日常生活状态融为一体，绝大部分人都无法离开这样的网络化服务，说是沉迷也不为过。

　　如今的微信已经不单纯是一个社交平台，还成为很多人的银行、相册、储藏柜，甚至是情感纽带。现在很多人出门都已经甩开了许多曾经必备的包袱——钱包、名片夹、地图和GPS（全球定位系统），只需要一部手机，便可纵横天下。

　　除此之外，群组和朋友圈也是互动3.0时代里非常了不起的产品创新。试想一下，如果没有互联网的技术支持，你怎么可能了解成千上万个分布于全国乃至世界各地的朋友的日常起居情况，即便他们都愿意将自己的私生活毫无保留地告诉你。微信让一切都成为可能，你只需要发一个朋友圈，你所有的朋友就能知道你现在的状态，知道你想和他们交流与分享的内容。毫无疑问，这种产品创新对每个人的沟通与互动效率都带来了质的提升，这也是互联网时代才会有的产品形态。

　　纵观互动1.0时代的门户网站、互动2.0时代的创新型互动产品和互动3.0时代的社交网络服务，我们可以从中梳理出互联网从联结到互动再到今天所有的演化路径。我们需要思考的是，这种产品形态如何才能应用于更广泛的商业领域。"结网"就是智能商业的起点。

网：
互联网给商业社会带来的颠覆性改变

　　让我们将目光聚焦于互联网发展的第三个关键词——"网"。顾名思义，网指的是结网，意为人类社会的分工与合作开始用网络的方式加以实现。结网的前提条件是连接和互动;或者说,连接和互动的必然发展路径是结网。只有随着连接的不断发展,信息和人都已基本实现在线化,人和人、人和信息之间的互动才会越来越丰富,最后交织成越来越紧密的网络,可以用更高效的方法——网络协同——去完成原本看起来难以实现的很多事情。

其实商业最重要的就是结网,未来互联网将给人类商业社会带来的颠覆性改变,就在于商业的大规模结网。当海量的人已经可以同时在线互动的时候,如何让他们通过在线协作的方式去完成某一件事情,便成为一种新的商业组织方式。说到这里,或许很多人会联想到曾经在人类商业发展史上书写了浓重一笔的流水线。确实如此,流水线的管理方式成功地通过小规模人群协作的方式,让商业的生产效率得到了极大提升,这是工业革命的里程碑,而网络协同则是互联网时代的商业里程碑。

还是让我以大家都很熟悉的淘宝为例。从表面上看,你在淘宝上可以购买到任何你想要的合法物品,并且能保证极高的性价比。然而,隐藏在这一切背后的是,海量商品通过数千万卖家抵达数亿消费者的眼前和手中,这一过程并不如你想象的那样简单,它需要大量角色的共同配合和实时互动才能实现。

这种新的零售协作方式包括了很多已经广为人知的角色,比如买家、卖家和物流公司,却也存在大家完全感受不到的各种各样的新型角色,比如给卖家做店铺装修的人、做存货管理系统的人、做在线客服管理系统的人、网红、给网红拍照的摄影师等。这些五花八门的角色通过网络化的方式在线结合在一起,形成了淘宝高效的大零售平台，这与流水线这种简单的分工协作方式相比，有着天壤之别。

对于那些当今最成功的互联网公司，大家习惯于将其冠以平台或生态的名头，但其实本质都是一幅非常复杂的网络协同图，它的核心机制就是连接和互动的不断演化与深化。

联、互、网，这三个字看起来十分简单，但实际操作时却极其考验操盘者的功力，运用之妙，存乎一心。

以"联"字为例。你或许经常在各种场合听人说各式各样的连接，而你听完之后却似乎并没有什么触动。原因何在？我认为当下真正的连接并不存在其他形式，连接就是要连到互联网上，最核心的目标是实现在线化。

由于工作关系，我接触过很多企业家，其中有一部分人对于连接的认知存在明显的偏差。他们会觉得，"我有了一个微博账号，我有了一个微信公众账号，我甚至在天猫上开了一个店，我就已经触网了，我也在线了"。实际上，判断一家企业是否触网的最重要标准，是这个企业的核心产品和服务有没有实现在线化，能不能直接在互联网上提供产品和服务。这个过程，首先意味着原有商业逻辑的彻底重构，企业必须从与用户建立连续性关系、以追求极致的用户体验的视角出发，开始在线化。从这个角度进行判断，绝大部分企业，特别是一些传统企业，离真正的在线还有很长的路要走。

因此，要想实现智能商业的第一步，就是让你的产品和服务核心流程在线化。但请记住，这仅仅是万里长征的第一步，接下来的事情依旧任重道远——互动。在线化之后，真正的考验是你能否通过各种方式完成与客户的互动。言及于此,你知道谁是你的客户吗?你知道他用了你的产品以后,会有怎样的体验和想法吗?这种体验和想法绝非到街上做访谈和问卷调查就能够得到的,而是客户在使用产品的过程中,通过互联网自然而然地留下了他的态度,这才是真正意义上的互动。双向互动,使得企业和用户的关系成为一个不断循环往复的交互过程,用户的实时反馈成为产品和服务快速迭代与更新的源泉。企业为用户提供产品和服务,从过去的基于"猜测"的预判转为基于"观察"和"倾听",用户至上成为企业的基本出发点。

对于绝大部分企业而言,结网可能还是一个有些超前或不切实际的概念,所以只有完成了连接和互动这两步,结网才有实现的可能性。再来看看淘宝。现在的淘宝是一个高效的零售平台,背后的秘密是所有跟零售有关的人员和职能进行在线、互动、结网。淘宝不是简单的线上商城,而是非常复杂的协同网络:能够让每一个淘宝用户拥有自己专属的界面,享受一对一的个性化服务;能够让每一个店面千变万化,随时变成客户想要的样子。这曾是每一个消费者和商人遥不可及的梦想,如今,我们已经将其落到了实处。

像淘宝这样成功的案例还有很多,爱彼迎就是另一个典型。

我们还可以举很多例子,"快手""小红书""土巴兔"等都是自己行业中的翘楚,它们或多或少地具备上述特征,都以"网"的结构逐步实现对工业时代"线"性结构的全面超越;它们都是对未来世界的预演,也都在当下实实在在地让"创造"获得真正该有的认可,让众人的智慧聚合成这个时代的蜕变。

03

智能商业双螺旋之一：网络协同

在人类文明的长河中，农业文明的"点"状结构让人类立足于村庄，保证基本的温饱，传承我们对世界和自己最基础的认知；工业文明的"线"状结构让人类建立城市，极大地提升了我们理解世界和改造世界的能力；终于，我们来到了互联网时代的门前，"网"状结构究竟会将我们带向怎样一个文明状态，可能谁都无法准确预言。

能够预知的是，在未来的网络协同中，我们每个人将更加不受束缚，从固化流程中解放出来；我们每个人将更不惮于创造，因为网络协同的最大价值不是让既有链路更高效，而恰恰是让创新价值更突显；我们每个人将更不吝于贡献，因为在这个"我为人人，人人为我"的体系中，为自己赢得更大的收益的最好方法就是为他人创造更大的收益。

网络协同：
新经济范式革命

在互联网诞生 40 余年后，我们终于走到了万物互联时代的门口。互联网最终的使命就是让任何人、任何物，甚至是任何时间、地点，都能够互联、互通、互动。毫无疑问，这必将带来经济范式的又一次革命。

如果说农业时代自给自足、村社范围简单交换的经济范式可以用"点"来描述，那么"线"或许就是工业时代经济范式的典型意向——流水线、供应链、科层制。到了万物互联的时代，新经济范式最根本的特质就是"网"——开放的网络结构、自由的多元协同、分布式的自组织体系。

我将这种新的经济范式称为"网络协同"。在商业世界里，网络协同正在取代工业时代相对封闭的体系（例如传统的供应链体系），成为互联网时代的基本合作范式。

淘宝的发展，就是一个协同网络不断生长的过程。

淘宝带给社会的第一个价值是让开店的成本大幅度降低，互联网的低成本加上免费开店的政策，使在传统商业环境下不可能开店的人成为淘宝店主。供给端的封闭结构被淘宝打开，从而大大提高了供给端的整体供给能力。如此一来，B端（企业端）提供的商品不仅丰富度大大提高，价格也远比传统的线下零售更有优势，差异化的服务也逐渐浮现，自然带来C端（消费者端）的福利提升。于是，C端客户，尤其是大量未被传统零售覆盖到的C端客户蜂拥而至，不到几年的时间就形成了浪潮席卷之势，这股势头又反向刺激了B端的几何级数扩张。如此正向循环，淘宝自然出现了生态爆炸一般的繁荣。

需要说明的是，淘宝打败美国易贝的一个重要原因是，淘宝鼓励商家和消费者直接、充分地连接、互动，而易贝则在这方面无动于衷。例如，旺旺使卖家和买家连接互动，评价让买家之间连接互动，帮派论坛则让卖家之间连接互动。直连互动使卖家和买家的积极性与创造力被极大激发，网络扩张带来的效益被成倍放大。

支付宝的出现，本质上也是在促使直连互动更好地发生。在中国的商业环境下，买卖双方互动必然面临信任缺失的问题，而支付宝解决了这个市场的信任问题，使这个双边市场变得更加繁荣。

"边界开放＋直连互动"带来的创造力激发，首先体现在淘宝的网络扩张上。各种新商品被卖家上线销售，各种新店也纷纷开张。为了对更多的细分市场形成覆盖，淘宝不断拆分类目，甚至由各种奇特到无法归类的商品所形成的"其他"类目到今天都还是商品数最多的类目之一。

这种创造力激发，更体现在众多新角色的孕育上。例如，当越来越多的店主开始希望自己的店铺页面更美观、更独特、更能吸引买家时，店铺装修市场随之出现。专业的设计师、网页制作者在这个新生的双边市场上可以满足卖家的相应需求。这样的的新角色在淘宝上越来越多，淘宝客、ISV（独立软件开发商）、导购达人等都是很好的例子，快递、客服这些角色更是无须赘述。例如，2010年随着宽带的发展，淘宝开始以图片销售为最主要的模式，自然就产生了海量的模特需求，淘女郎应需而生。她们不是专业模特，但恰好满足了广大买家"看看衣服穿在普通人身上效果如何"的需求。淘宝建立的在线模特市场，是几百万卖家和淘女郎的双边市场。

同时，海量的直连互动时常让更多的断点、坑洞、磕绊得以显现。不过，它们既是直连互动的阻力，更是全新直连互动的机会。这样的新角色，由直连互动激发生长，又促发新的直连互动，带来新的效率提升，从而营建出新的网络结构。它们不是由淘宝规划出来的，但是一旦它们生长出来，淘宝往往迅速给予充分的鼓励，或建设新市场，或开发新工具，让这些新角色成长得更加茁壮。

所以，如果说"双边市场的扩张"是淘宝早期的核心特征，那么，当这些新角色不断产生后，淘宝在第二个阶段的核心特征，就是从一个简单的双边市场演化成了一个复杂的多边市场，多元角色在其中相互协同表现得越来越充分，淘宝也越来越立体。这个立体的淘宝还在继续演化，协同从商品买卖这个环节向广告、物流、供应链等众多环节进一步延展，更多的场景被网罗进来，更多元的协同在这一网络中发生。

比如，网络协同进一步扩展到了物流，菜鸟网络就是阿里巴巴在这个领域最主要的存在，其全名是全国智能物流骨干网。它连接所有物流公司、快递人员以及仓库，同样，它也是一个利用互联网分布式信息可以同步共享的结构，让所有人的商业信息在参与方之间可以适时、多方、多角度的互动沟通，而不需要中间人来计划和安排。这一生态的力量进一步延伸到采购、批发，最终延展到整个供应链。在淘宝店做预售，并根据具体销售情况灵活地安排整个生产计划，实现小单多批、快速翻单的柔性生产，这样的情形已经在越来越多的生产制造厂家中发生。

在淘宝这张"网"上，已经密布了海量的"点"，它们就是在直连互动中的各个角色。这些"点"由于巨大的规模经济，往往能提供性价比很高或者很独特的服务，这些服务又纵横交织成"线"，从而提供传统方式无法实现的更优质的服务。每条"线"都是一个细分场景，都是一个独特的服务，这就是淘宝的海量卖家。这些"点"和"线"，远看似乌合之众，排列分布几乎无规律可循，但实际上能聚散自如，招之即来，来即能战。"点"的数量，从晨星寥落走向燎原之火，就是因为无数"点"与"线"构成的这张网，可以提供更好的客户价值，吸引更多的消费者，从而催生新的"点"或者新的"线"参与其中，形成良性循环。也就是说，从稀疏的"点"开始连接，"点"与"点"互动，帮助"线"更好地服务用户，构成了今日星河灿烂、生机盎然的淘宝。

我们将在第 10 章讨论完整的"点—线—面—体"的战略框架。在这里只需要指出，多点协作的开放平台，总体势能已逐渐超过传统的交易线。单独一个卖家的货物，可能还无法与传统大品牌商家媲美，但蚂蚁雄兵集合起来的势能——每天涌入数以亿计的客户，交易额以每分钟亿元为单位计算——这是任何一家线下零售商都无法想象的。

淘宝远远不是一个孤立的案例。爱彼迎是近年全球大发展的住宿分享服务，它连接了无数愿意分享房屋的房东和租户。还有非常多的网络协同的小案例，比如在中国有一个颇具特色的团体叫作"字幕组"，近年来活跃在各大中文视频网站。该团队中绝大部分成员是定居在全球各地的华人，由于全球优秀的影视剧作品往往没有官方中文字幕，所以他们自由组队，利用业余时间，发挥外语特长，为数以千计的电影、电视剧制作准确、精致的中文字幕。他们的总人数无法估算，因为他们本就是招之即来，"事了拂衣去，深藏身与名"。他们不会得到金钱回报，但在中文观众中获得了信誉、声望和自我满足。他们甚至完成过一项非常棘手的任务——史上最佳华语电影之一、台湾大导演杨德昌的作品《牯岭街少年杀人事件》。这部电影当时因为重新完成了数码版修复，未能及时制作字幕，并且电影中出现了中国各地方言、普通话、日语、英语等十几种语言。结果，字幕组的团队瞬间又扩大了，精通中国各地方言的各地人你翻译一句，我录入一句，他修正一句，在一个叫作"B站"的视频分享网站上，仅仅用了一夜的时间就做好了字幕。

无论是淘宝还是"字幕组"等团队，都是开放、协同、共享、共建的网状结构，它们已经开始取代封闭、线性、管理、控制的工业时代线性结构。这就是新经济范式的革命。

在分工体系完善、地域集中、利益机制成熟的行业，曾经有局部的网状协同，例如在江西景德镇的陶瓷业、意大利中部的皮革业或者广东中山的灯具产业带中所看到的。然而，真正意义上的网络协同需要直连互动、实时反应、异质角色和多元场景，只有互联网技术才能充分实现这些条件，也只有万物互联才能充分发挥出网络协同的价值。

所以互联网时代才是真正的网络协同时代。只要一个行业、一条流程、一项任务初步完成在线化，直连互动就可能发生，其后所展现出来的网络演进就完全有可能远远超出我们的想象。淘宝就是最好的证明。随着互联网的发展，景德镇的传统陶瓷业网络与网店、设计师等新的角色产生了丰富的互动，形成了新的创意协同网络，使得景德镇成了各种手工业产品集聚的网络——这是一个线上与线下融合的协同网络。

一些时下火热的新概念，包括按需经济、共享经济、社群经济等，本质上都必须建立在网络协同的基础上。按需是网状协同的目标，共享是网状协同的价值观，而社群是网状协同的有机组成模块。只有全网协同才能满足每一个消费者的个性化需求，只有超越线性结构，才能实现个体优化、局部优化和全局优化的动态统一，才能最大化、最深层次地展现网络的价值。区块链技术由于提供了一个点对点的、建立在共识基础上的协同网络，很有可能带来网络协同的一次大飞跃。

淘宝与优步：
网络协同效应的胜利

毫无疑问，优步（Uber）是有史以来成长最快的公司之一。创立至今，优步在全球范围内已经覆盖70多个国家的400余座城市，在5年内公司估值达到400亿美元。更重要的是，这家公司产生了巨大的社会示范效应，由优步开始，"共享经济"成为人们热议的话题，被创业者复制，被投资者追捧，共享单车、共享充电宝等共享商业模式如星星之火般蔓延，直至呈现燎原之势。

在高速发展之后，近年来优步却碰到了巨大的挑战，导致增长乏力。那么，优步到底做对了什么，又在哪些方面有欠缺呢？深入地解剖优步，让我们可以更好地理解和把握网络协同这一新商业模式的核心要素。

毫无疑问，优步是共享经济的先行者，特别是在美国。美国传统的出租车行业在大部分城市因为受到牌照的限制，导致供给严重不足，打车价格高昂，而且很多地方根本就没有出租车服务。在嗅到商机之后，优步鼓励很多私家车车主加入，为大众提供出行服务。这种商业模式极大程度地释放了社会闲置资源，提高了客户体验，带动了共享经济的发展。这肯定是优步成功的关键要素之一。大部分人可能没有意识到，优步的成功在很大程度上其实也建立在数据智能基础之上，优步把一个传统行业改造成了一个基于数据和算法的智能商业。

由于移动互联网的普及，智能手机成为大众的基本必需品，GPS的实时地图服务也足够准确，乘客和司机的位置可以实时在线。云计算、人工智能、机器学习的高速发展，使得实时匹配海量乘客和车辆成为可能。乘客和司机所能够得到的高效和便捷，远远地超出了传统的出租车行业。同时，由于数据智能引擎的存在，很多创新要素被引入，其中最核心的就是市场定价模式。通过高峰期加价，引导乘客用不同的出价方式表达自己的需求，打破了传统定价的刚性，这是非常典型的用市场化方法解决社会问题。如果没有数据智能的基础，这显然难以实现。

近两年，优步的发展似乎进入了瓶颈期，一方面追赶者的脚步日益迫近，另一方面它进入新的领域也屡遭挫折，这些都表明它正在面临一些根本性的挑战。理解这些挑战，不仅可以帮助我们理解互联网时代商业模式的关键之处，同时更重要的是，还可以帮助那些想模仿优步模式的创业者，对自己未来的取舍提前有一个清晰的认知。

问题的核心在于优步有没有实现真正意义上的网络协同效应。脸书、微信都是非常典型的需求端网络协同。用户会主动传播，帮助企业接近零成本地获取新用户，用户越多就越会吸引更多的人加入这个网络，这个网络的价值也会越来越大。

网络协同效应是当今互联网企业成功最大的价值源泉。如果我们认真思考优步的核心优势就会发现，从经济学的角度来说，优步其实并没有享受到多大的网络协同效应，它更大的价值还是源于传统的规模经济。快速扩张供给端，吸引众多的司机到这个平台上，形成规模优势。原来那些被挡在准入门槛之外没有牌照的服务者得以加入市场并提供服务，大大提高了服务质量，也降低了交易价格。

说到这里，有一个重要的推论不可不提——没有网络协同效应，单靠规模经济无法形成垄断。类似微信这种依靠网络协同效应的企业，才有机会赢家通吃。如果在需求端没有网络协同效应，即使供给端的规模效应再强大，用户的转移成本也依然很低。就像很多人手机上曾经装过好几个打车App，无论是滴滴、优步、神州，还是易到，使用时可以随意切换。这么重要的高频应用是为了使用方便，并获得确定性服务。对于用户来说，多下载一个App的成本并不算太高。同时，由于在高峰时期，几乎没有任何一个网络能够提供足够好的体验，这给跟随者留下了生存空间。司机更是如此，同时安装几个App，同时接单几乎成为常态。

也就是说，规模经济的壁垒比网络协同效应的壁垒要低得多，可以用海量资本进行密集轰炸以便攻克。今天，即使滴滴和优步合并了，神州依然在扩张，同时首汽、"曹操"（专车）、美团、高德等新的玩家还在不断进入。即使滴滴取得了这么大的规模优势，依然没有办法形成壁垒，根本无法防止新的玩家进入这个市场。

优步能够如此快速地扩张，根本原因之一是打车作为一个用户场景相对简单，从一个简单的点切入，可以带来快速发展。其实，这样一个简单的场景也制约了优步发展出更加复杂的多边市场和更有生命力的生态潜力。这一点很重要，关系到网络协同是如何在实际应用中产生价值的。

　　我们对比一下优步和淘宝，就能比较清楚地看到这一点。相对于打车，淘宝要处理的是更为复杂的商品交易。当年，为了完成这个几乎不可能完成的任务，淘宝逐步摸索出了在线支付、担保交易、信用评价、消费保障、商品管理等一系列看起来不那么重要，但实际上至关重要的在线服务体系。为了摸索出这些服务，淘宝早期的发展速度并不算快。一直到2007年，大部分人都还没有把淘宝当作一个快速发展的互联网企业。一旦这些体系建立了，而且淘宝从服装等主打类目快速地扩张到更多的类目，最后形成万能的淘宝概念时，这个平台的横向扩张能力就彰显无遗。2017年，淘宝年销售额从2008年的1000亿元，快速扩张到3.77万亿元，比2016年增长21.6%；全年营收为1582.73亿元，同比增长56%，远超2016年33%的营收增速。

　　这个横向积累很厚实，使得纵向方面平台也有了强大的拓展能力，逐步从零售走到广告、营销、物流、金融等新的创新领域。淘宝能有这样的广度和深度，很大程度上是由于网络自己有很大的扩张动力，不同类型的卖家聚集在一起，不仅可以分摊各种基础服务的成本，也能分摊获取客户的成本。淘宝的核心是商品的丰富性，不是简单的商品和用户规模。

　　在优步平台上，不管司机还是乘客，都是相当简单和同质化的角色，这样的网络显然缺乏自主生长动力。优步在打车之外一度被寄予厚望的快递服务、送餐服务的业务扩张也并不顺利，根本原因在于这些都不是原有网络的自然延伸，而是需要靠管理者去复制在原有领域的成功。在这个时代，靠管理者去复制原有模式，很难比得上在另一个领域里有更深积累的创业者的爆发力。所以我们看到，其他所谓"优步化"的场景，反而是创新的团队赢了，优步并没有扩张出去。

我们把优步和淘宝做个直接对比，大家就能看到商业模式DNA的重要性。淘宝作为一个协同网络，在广度和深度上不断快速扩张，在此基础之上，又加入了数据智能带来的价值。因此，淘宝带动整个阿里巴巴集团快速推进到 5000 亿美元的市值规模。

回过头来看优步，如果我们扮演事后诸葛亮的角色，可以说优步在短短的时间内增长到 600 亿美元的估值，其核心是数据智能这个引擎在出租车这个足够大的市场瞬间得到爆发，创造了巨大的价值。优步这两年陷入停顿，我们也没有听到它有上市计划，原因在于大家不清楚优步下一个价值创造的源泉是什么。也许可以做个判断，优步在网络协同的方向上已经不太有什么可能性了，因为它的DNA比较局限，起步于一个很单薄、很简单的用户场景——打车。这个场景本身不太具备相关扩张的可能性，于是优步把自己下一步的发展方向定位在自动驾驶上。对优步来说，自动驾驶是一个巨大的挑战，除非优步在这个领域有足够大的进展，否则它的发展，包括市场对它的估值，暂时都不会有大的突破。

作为一家公司，优步的价值如果想要再次飞跃，譬如在千亿美元俱乐部中站稳，就必须在现有的数据智能技术、需求端网络效应和平台的复杂演化等方向上，至少出现一个质的变化。不过，这将是一个巨大的挑战。

04

智能商业双螺旋之二：数据智能

无数据，不智能；无智能，不商业。人工智能是一场技术革命，它必然会将越来越多的商业智能化。未来数据智能将成为商业的基础，而智能商业也将成为数据时代的全新的商业范式。在我看来，要想把数据智能融入具体商业，要做好三件事：数据化、算法化和产品化。

数据化：
商业创新的基础

可以预见，未来随着科技的进步和时间的推移，商业必将面临全面的智能化。那么究竟什么是智能化呢？其实"智能"一词，在不同时期和不同科技水平下，有不同的具体含义。

对于当下的商业而言，智能化指的是商业决策会越来越多地依赖机器学习，依赖人工智能。机器将逐步取代人，在越来越多的商业决策上扮演非常重要的角色，它能取得的效果远远超过今天人工运作产生的效果。

其实，如今的智能商业还处在萌芽阶段，相对于传统商业的优势，它在很多领域的优势还不太明显。然而即便通过现有的案例，我们也看到了这一趋势的巨大力量。伴随着互联网技术，特别是物联网、数据科学和计算能力持续的高速发展，几乎可以断言，基于数据智能的商业必将超越1913年横空出世的福特流水线，给人类整体的生产力带来一次根本性的巨大突破。

正是在这个意义上，我们强调，这是一场商业模式的范式革命。未来10年，最大的商业价值就是如何创造一个个智能商业，带来用户体验的飞跃。

众所周知，小微企业的贷款业务一直是一个世界级难题。由于信息的收集、分析和审核需要巨大的成本，导致贷不贷、贷多少、收多少利息等问题困扰了无数的贷款机构。

但蚂蚁小贷这个成立时间并不长的公司，彻底改变了这一局面。短短几年时间内，它已经累计服务了上百万淘宝和阿里巴巴的卖家，这些卖家的平均贷款额大约为5万元，多不过百万元，少的只有几百元。他们不仅没有靠谱的抵押，有些甚至连基本的账目都没有，更匪夷所思的是，他们甚至不需要见到信贷经理。事实上，蚂蚁小贷所有的信息采集和决策都由计算机后台来完成——商家在线上提交贷款申请，几秒钟内系统自动审批；审批后，贷款几乎可以实时地汇入卖家账户。虽然是无人信贷，但蚂蚁小贷的坏账率却显著低于传统银行的平均水平。

蚂蚁小贷能做到这些，主要归功于互联网。它能够分享潜在客户的诸多数据，比如这些淘宝卖家正在卖哪些商品、生意好不好、经营店铺是否勤快、之前是否有过不诚信行为，甚至还有他是否喜欢玩网游、卖家朋友的信用度是否高等。这些数据的丰富度、准确度，远高于传统银行能采集到的贷款者的信息。

如果我们更全面地检视蚂蚁小贷的业务，就会发现它做了三件关键的事：特定商业场景的数据化、忠实于商业逻辑的算法及其迭代优化，以及将数据智能与商业场景无缝融合的产品。这三件事融会贯通、相互包含，在反馈闭环中共同演化，这就是未来智能商业的样貌。

所谓数据化，不仅包括客户的经营数据，还有更多维度的数据被记录、分析和融入，构成了对客户全方位的描摹。数据初始化是一件高成本和困难的事情，仅仅是最简单的客户性别数据就包含了十几套标准，诸如身份证上登记的性别、实际经营者的性别、行为特征显示出的性别等。这些数据各有价值，但传统方法又无法使它们融合，故需要创新的方法才能合理使用。①

与此同时，数据化更是一件高收益的事情。例如，"客户对经营的投入程度"这一很有价值的指标，传统金融机构几乎没有任何有效的获取方法。然而在互联网的语境下，早上几点卖家在旺旺上线了，买家的询问在几秒钟内能得到回复，这些数据都可以很直观地反映出卖家的投入度。

"数据化"本质上是将一种现象转变为可量化形式的过程。它来源于人类测量、记录和分析世界的渴望，是文明进步的基础。维克托·迈尔-舍恩伯格和肯尼思·库克耶在《大数据时代》一书中对人类的数据化历史做了充满洞察的描述，"计量和记录一起促成了数据的诞生，它们是数据化最早的根基"。从早期人类文明的结绳记事开始，到5000多年前两河流域的先民用度量衡来计量长度和重量，再到公元1世纪由印度发明、阿拉伯人改进的十进制数字，这些都是人类数据化征程最初却伟大的起步。这几步也一直延续到卢

---

① 这个看似非常简单的问题，只能用机器学习的方法解决，而且这个"解决"不是事先确定解决方案，而要看不同场景下调用哪个数据的效果更好。

卡·帕乔利时期，他用复式记账法奠定了标准数据记录法的基础，这是第一次用数据直接反映生意的盈亏。计算机技术的出现，尤其是互联网技术的快速发展，更是推动了数据化的新一波更加汹涌澎湃的浪潮。

我们已经看到，自己在互联网上留下的每一处"足迹"都被数据化地记录下来，成为各种应用推送个性化服务的关键依据。脸书实现了人际关系的数据化，带来了很多全新的应用，例如通过分析选举前用户的行为数据来"计算"选民的投票倾向，成为有史以来最准确的选前民调。

我们还看到文字被数据化、地理方位被数据化、情绪感受被数据化。与我们每个人更息息相关的是身体健康状况的数据化，Zeo公司（一家睡眠管理设备创业公司）完成了世界上最大的睡眠活动数据库；Asthmapolis（一家哮喘病医疗服务机构）通过一个呼吸器，一方面记录哮喘病人的发病数据，另一方面进行GPS定位，从而分析特定环境对哮喘病情的影响；一款名叫iTerm的手机应用通过手机内置的测震仪记录人们身体的颤动数据，来预防和付诸治疗帕金森病和其他神经系统疾病；更不用说已经广泛普及的手环对人体基本健康状况数据的全天候记录。

互联网技术使我们终于可以低成本、全方位地记录数据，而只有当我们拥有了足够大量、足够多维度的"大数据"时，才可能真正客观、真实而深刻地理解我们周遭的环境、事物的本原以及我们自己。

这是激动人心的历史性努力。本质上，就如同蒸汽机是我们进入工业文明的第一步、电是我们迈入电气化的现代工业的第一步，数据化毫无疑问是我们进入以数据智能为核心的智能商业世界的第一步，也是我们这个时代最重要的创造之一。

有效的数据初始化是大数据创造价值至关重要的第一步。可以说，没有数据的初始化，就没有后继的商业创新。而成本高昂的数据初始化工作能否创造巨大的客户价值，就成为当下海量创业项目能否存活立足的重要考验。企业家的创造性也将在这一领域中大放异彩。

「 蚂蚁小贷的故事 」

假设一家信贷机构要开展一项全新的信贷业务。信贷对象为小微企业或个人从业者，行业千奇百怪，地域遍布全国，这些企业和个人的成本结构、利润率不详，基本没有财务报表，没有信用记录，也没有有价值的抵押物。

业务要求：同时为百万级客户服务；单笔数额不超过100万元，贷款期限为几天到一年；实时审核贷款，实时发放；坏账率不能超过行业平均水平。

传统银行会怎么做？

大体如下：开发一套针对小额信贷的中央风控流程；建立遍布全国的物理网点；设计先进的调查问卷，银行的内部系统支持移动设备实时输入问卷结果，运用打分卡技术进行风险评估；要求对方提供抵押或担保；人工审核。

这是目前小额贷款业务的通行做法，但所有的传统机构都面临同样的困难：相较于每笔贷款的金额，收集客户信息的成本实在太高。

蚂蚁小贷做到了什么？

全线上流程，实时放贷（从客户输入贷款金额到拿到贷款，不超过1分钟）；机器自动放贷，无物理网点，无客户经理；平均单笔贷款低于 5 万元，少的只有几百元（传统的小贷机构单笔贷款一般不低于 50 万元）；每年为超过40万客户服务；无须抵押和担保；坏账率不高于2%。

蚂蚁小贷是中国第一款智能金融产品。它做了三件关键的事：小微贷款业务的数据化，用算法完成风险评估，以及将数据智能与小贷场景无缝融合的产品，即数据、算法、产品三位一体地提供服务。

归功于互联网，蚂蚁小贷能够分享潜在客户的诸多数据，比如这些淘宝卖家正在卖哪些商品、生意好不好，又比如卖家经营店铺勤快与否（客服旺旺的回复速度、每天经营时间的长短等）、之前是否有过不诚信的行为，等等。这些数据的丰富度、准确度和规模都远高于传统机构所能采集到的信息。

蚂蚁小贷的算法工程师建立了三套机器学习的算法模型来处理这些海量数据，即偿贷能力模型（相关经营数据）、偿贷意愿模型（客户风险偏好及信用度）、定价模型（价格偏好及策略），给每位客户进行风险评级和定价。

与传统金融机构的数据分析不同，基于在线数据，算法模型能够进行实时迭代。一方面，新数据不断涌入，客户的每一单交易、每一次上线、每一次还款，原则上每时每刻都在改变他的分值。

另一方面，算法模型自身也在迭代。事实上，客户借还款的数据，会实时反馈到蚂蚁小贷的数据池中，多个算法模型据此实时优化：哪些维度的指标应当被纳入或清除出模型，客户的哪些行为特质应该被赋予更高的权重，在不同的情形下哪些算法模型有更高的准确度。在蚂蚁小贷，这些算法模型更新的频率以"周"计算，而即便在金融数据化程度极高的美国，一次算法更新往往也需要 6 个月。

最后，蚂蚁小贷还将数据智能融入小微贷款这一商业场景中，设计出一款高效的互联网产品。淘宝卖家可以在店铺运营平台上直接申请贷款，如同在谷歌的搜索框输入关键字一样简单。这个贷款页面也是机器算法的反馈通道，数据实时更新，算法不断迭代。

事实上，在卖家提出贷款申请前，蚂蚁小贷的后台机器集群已经根据他在淘宝上的行为数据，对他进行了风险评估，并预先授信。所以，可以实现实时审核，自动放款。

在这个过程中，客户的数据越来越多，数据维度越来越丰富，参数越来越准，算法模型越来越有效，风险控制的成本越来越低，信贷对象的体验越来越好，覆盖的贷款用户也越来越广。整个业务进入高速发展的正向循环。更重要的是，这是一个基于数据和算法，且自动的智能化用户体验提升过程，商业效率也得到了极大提升。

蚂蚁小贷是智能商业的一个经典案例。信贷如此古老而复杂的商业活动，被抽象、极简地表达成了一个人机交互的输入框；传统上烦琐得令人望而生畏的信贷流程，变成了"输入信贷需求—机器做出决定—资金自动汇入"三个简单的动作；过去高度依赖人的判断力的贷款审核，变成了由机器自动决定。小额贷款成为一项数据驱动的智能业务。

算法化：
智能商业的"引擎"，而非"工具"

我们提到算法时，常常会接上另一个词——"引擎"。这是一个奇妙的比喻，因为如果我们将数据看作是 DT（data technology，数据处理技术）时代的一桶高标号汽油，那么算法无疑就是这台引擎。只有算法才能让数据中的能量得以完全喷发出来，为智能商业这辆"汽车"推进加速。

搜索是第一个数据和算法驱动的互联网产品，使我们每个人都可以在海量的互联网数据中找到最相关的信息。谷歌的成功正发源于其创始人提出的 PageRank 算法。谷歌创造的另一个功能强大的算法是其在线广告市场引擎——pay per click（点击付费广告），每天都有价值 10 亿美元以上的在线广告通过这一算法投放到最合适的观众面前。

在商业语境下，算法就是一组反映了产品逻辑和市场机制的计算指令的集合。完成了商业场景的数据化之后，算法就是提炼数据价值的思路，而 DT 时代的数据价值就是商业价值。如同谷歌正在做的，我们每个人打开过的那些商品的页面、网购的某件商品，都无疑是数据的"金矿"，但只有当在线广告的算法引擎从中挖掘出每件商品的潜在买家，并据此投放广告时，这座数据金矿的价值才真正被开发出来。

算法看似高精尖，但实际上，算法在我们的日常生活中早已无所不在。不仅是手机和汽车，在房子里、电器里、玩具里都藏有算法。现在的银行是错综复杂、规模巨大的算法聚合，只是当中会有人时不时地微调一下罢了。世界上主要的股票、期货市场，看似有无数的交易员以各种手势不知疲倦地报价买卖，但真正"不知疲倦"地记录各种数据，做出空单或者多单决策的同样是算法，而交易员常常只是算法决策的执行者。算法制定飞机航程，然后把飞机开走；算法管理厂房，进行贸易，控制货物流通，兑现利润，甚至做账。

Polyphonic（一家针对音乐和唱片公司的技术研发公司）开发的算法用数学函数解构歌曲的曲调、节奏、和弦进程、声音饱满度等指标，来预测一首新歌能否流行。有一个名不见经传的歌手的新专辑，据算法分析，该专辑 14 首歌中有 9 首能登上流行排行榜，连写这个算法的工程师都觉得难以置信。这张名为《跟我远走高飞》（*Come Away with Me*）的专辑最终热销 2000 万张，那名叫诺拉·琼斯（Norah Jones）的歌手当年获得 5 项格莱美奖。

设计一套算法并非易事，工程师需要以机器可读的语言编写，然后进行千丝万缕的测试，找到复杂编码中的每一个问题。久而久之，计算机工程师研发了无数个互相关联、互相依赖的算法，形成了编码的生态系统。然而这套生态系统中的复杂程度日增，系统中的小问题也会迅速蔓延。算法与算法之间的相互作用，乃至算法本身，其复杂程度开始胜过人类的脑容量。不夸张地说，如果有一天一切算法都骤然失灵，那世界即便谈不上毁灭，也会了无生趣。

算法是什么？让我们回到这个基础问题上。算法是按照设定程序运行以获得理想结果的一套指令。

人类可见的最早算法来自两河流域的苏美尔人，他们留下的一块距今 4600 年的泥板上刻着一段文字，写的是利用小型称量工具，在人数不定的一群人中平均分配几千公斤谷物可重复使用的方法。计算机的发明使算法的功能被极大提升，因为在做重复性工作时，计算机显然更具优势，而人们要做的是运用计算机语言将众多极为简单的指令组成非常复杂的逻辑推理链条。譬如，做蛋糕的时候该加一小勺白糖，人可以执行，计算机可不行，它首先必须知道白糖是什么；其次，"一小勺"的量不够精确；最后，计算机也不知道怎么"加"，从如何拿起勺子到如何移动勺子再到如何把勺子里的白糖倒到碗里，计算机都需要明确的指示才能执行。可见，算法是一种严苛的标准。

不过，随着算法对我们日常生活的渗入，一个小错误就可以击垮整个系统，导致火箭陨落、电网崩溃、市场坍塌，前两者我们或许还没见到实例，但是因为算法的一个小错误引发连锁反应导致市场崩盘的惨剧确实发生过。2010 年 5 月 6 日，美国股市就曾因为计算机算法停止竞价，导致股价大幅下跌，市场崩溃，这种情况被人们称为"闪电崩盘"。

那么怎样避免这样的情形再次发生？怎样让算法越来越聪明？怎样让算法超越人类既有经验，创造出前所未有的价值？这些领域都有巨大的发展空间。

算法是"机器学习"的核心——笨机器用笨办法，靠着算法的持续迭代优化，变得越来越聪明。即便是一个非常粗糙的算法模型，也可以在实时在线、全本记录的数据中，通过没有预判和方向的数据探索，来发现那些广泛潜伏但我们无从察觉的关系结构，并持续优化。

这是算法的又一次决定性的跃升。[①]也是在这次跃升中，数据对算法的巨大作用被充分显现出来。任何一个算法模型，尤其是能够自我学习、自我优化的算法模型，比如股票市场分析模型或者巧克力爱好者口味偏好模型，都承担着在成千上万个可能的因素中寻找出所隐藏着的联系的艰巨任务。这些可能因素中有些具有决定性的价值，有些却是彻底的"噪声"，而且，它们还在实时发生着变化。所以算法真正要准确地预测股价，或是猜对某种朗姆酒口味巧克力的受欢迎程度，就必须通过分析海量数据来实现，必须在实时更新的数据中快速迭代优化。

机器学习的原材料是数据，数据越多越好。并且机器学习能够克服各种复杂情况，只要数据足够丰富，简单的学习算法可以轻松编写百万行长的新算法，工程师的工作轻松多了。工业革命使得体力劳动自动化，信息革命使得脑力劳动自动化，而机器学习使得自动化过程本身自动化。战胜围棋本身并没有什么商业价值，但它带来了算法的突破，而这种突破肯定可以被应用到不同的商业场景中。

数据时代的智能商业对算法提出了全新的要求：算法的迭代方向、参数工程等，都必须与商业逻辑、机制设计，甚至价值观融合

---

① 算法的突破往往依靠数学的发展。

为一。当算法迭代优化时，决定其方向的不仅是数据和机器本身的特性，更包含了我们对商业本质的理解、对人性的洞察和对创造未来商业新样貌的理想。

这就是我们将算法称为智能商业的"引擎"而非"工具"的关键理由，它是智能的核心。基于数据和算法，完成"机器学习"，实现"人工智能"。第三次工业革命发展到今天，计算方法已经产生了从量变到质变的飞跃，可以说是数据时代最根本的特征。

产品化：
数据智能和商业场景的最终载体

其实，人工智能只是人类的一个工具。智能商业的核心特征就是能主动地了解用户，通过学习不断提升用户体验。而真正把用户、数据和算法创造性地连接起来的是"产品"，这也是互联网时代特别强调产品重要性的根本原因。

产品和数据、算法的互补作用可以形象地比喻成"端+云"。"端"就是产品，是与用户完成个性化、实时、海量、低成本互动的端口，它不仅直接完成用户体验，同时使数据记录和用户反馈闭环得以发生，和"云"互动；而"云"则是数据聚合、算法计算的平台，它通过算法优化，更好地揣摩用户需求、提升用户体验。作为"端"的产品，具备以下三大关键作用。

产品设计直接影响用户体验

产品的功能是否齐全、界面是否友好以及交换是否自然，都是产品能否取得成功的关键因素。苹果公司这 10 年的成功，特别是 iPhone 的跨时代意义，充分显示了这一点；谷歌也是如此，超简洁的搜索框一经问世就立刻俘获了所有用户的心，人们的口口相传，为其带来了早期的高速发展。

上传：将"端"的行为数据向"云"反馈

产品是用户通过行为数据向"云"上的数据智能进行反馈、实现数据增值和算法优化的通道。用户的真实需求常常是无法直接加以表达的，但是他们的行为不会骗人。用户的每一次行为都成为一次数据反馈，算法在这样一次次的反馈中敏捷迭代，一次次更加接近用户的真实需求。

下达：将"云"的数据智能传递到"端"

产品是将"云"上的数据智能传递给用户、为用户带来价值的通道。事实上，在智能商业的"云"和"端"之间，客户的产品体验绝不仅仅来自端上的 UI（用户界面）互动，而更多地决定于"云"上的数据智能。

例如，用户在淘宝的体验不仅是搜索是否好用、类目是否合理、导航是否有效等，更重要的是用户能否高效地从几十亿件商品、千万级卖家中快速找到自己需要的商品，甚至还有惊喜，而这取决于"云"上的数据智能。不通过数据和产品的紧密融合，不通过"云"上的数据智能实时发挥作用，真正意义上的客户体验持续提升是根本无法想象的，就好像我们根本无法想象传统的金融服务能在几秒钟内完成对客户的贷款一样。

上传下达，双"管"齐下，数据闭环靠产品互动实现，而产品体验依赖于数据智能，数据和产品合二为一。一切的数据智能体系，都必须最终融合在功效直接、交互友好、价值明确的互联网产品上，其智能的价值才能真正体现出来。

万物互联之"广"和数据智能之"深"，其价值都集中体现在互联网产品上。通过创造性的产品设计，既把数据智能的价值不折不扣地传递给用户，又使用户低成本、高频度地进行反馈，从而使数据智能持续提升。实际上，这里所说的"产品"已不止于"端"的概念，从更广泛的意义上说，互联网产品是一种包含了"云"的智能和"端"的体验的完整互联网服务，它是数据智能和商业场景紧密融合的最终载体，也必将取代营销，成为商业运营的关键。

因此，智能商业的成功，最关键的一步往往是一个极富想象力的创新产品：针对某个用户问题，定义了全新的用户体验方式，同时启动了数据智能的引擎，持续提升用户体验。这样的智能商业才是对传统商业的颠覆，才能真正实现降维攻击，胜者一骑绝尘，败者万劫不复。谷歌超越雅虎、脸书超越MySpace（一个社交网站）、优步颠覆出租车行业等，莫不如此。

数据化、算法化加上产品化构成了智能商业的三大基石。例如谷歌，其搜索引擎的三大核心，一是网页内容的数据化，二是基于PageRank的算法引擎，三是谷歌巨大的产品创新——极为简洁的搜索框和基于相关性排序的结果页。然而这还不够，要让智能商业一天比一天更聪明，还有一样东西不可或缺——反馈闭环。

用户行为通过产品的"端"实时反馈到数据智能的"云"上，"云"上的优化结果又通过"端"实时提升用户体验。在这样的反馈闭环中，数据既是高速流动的介质，又持续增值；算法既是推动反馈闭环运转的引擎，又持续优化；产品既是反馈闭环的载体，又持续改进功能，在为用户提供更好的产品体验的同时，也促使数据反馈更低成本、高效率地发生。

一言以蔽之，数据化、算法化和产品化就是在反馈闭环中完成了智能商业的"三位一体"的。智能交通体系是另一个例子。以无人驾驶汽车为代表的整体智能交通体系已经不是科幻，谷歌首次实现了根据路况数据设计路线，本质上就是将关于路线选择的算法在线了，而今天在美国，无人驾驶汽车已经上路试验，就是汽车这个"端"的全面智能化。

在中国，阿里巴巴最新的实践则是交通"云"的全面智能化。依据各方面交通数据的整体打通，预测未来一小时里的每一个路口可能的交通状况，进而对接城市交通指挥系统，有的放矢。在北京这样复杂的路况下，此套体系的预测准确率超过95%。其中，数据化、算法迭代和产品同样在反馈闭环中实现了三位一体。智能交通体系首先以一连串事物的数据化为前提，包括地理位置的数据化、车况的数据化、天气的数据化，以及红绿灯、分道线、行人的数据化等；其次，它还是算法实时优化的结果——不仅是车况本身的优化，更是整体智能交通体系的优化；再次，它当然离不开从汽车到红绿灯等种种产品的智能化；最后，它更是众多数据反馈闭环的集合体——路况数据使车辆实时优化行车路线，周遭环境数据使车辆实时决定行驶速度，乘客身体状况的数据使车辆实时调整车窗开合。

本质上，商业从一开始就是基于某种反馈闭环的，从而了解客户所需，提供相应的产品或服务。然而，不论是发挥商业天分猜测客户需求，还是通过市场调查听取客户需求，都始终失之于准确、困之于成本。不过，到今天，当客户可以通过全本实时的数据把他们的需求直接告诉商家时，当商家可以凭借敏捷迭代的算法引擎精确满足客户的需求时，当产品借助互联网的巨大能量成为数据智能和用户实时互动的端口时，我们终于可以说，我们找到了促使这个反馈闭环成本更低、效率更高，甚至自动运转的颠覆性工具。它可以被视作数据智能的"永动机"，只要有在线的互动，有数据的反馈，这台机器就永不停歇地学习，实时敏捷地进行优化。

数据、算法、产品在反馈闭环中"三位一体"，唯有如此，智能商业才能完成对传统商业的降维打击，DT时代的商业跃升才有发力点。

活数据：
让反馈成为闭环

我们之所以花费大量精力去了解、分析有关商业智能的知识和案例，绝非单纯为了满足我们的好奇心和求知欲。将这些理念同我们自身的工作和事业相连接，让自己能够赢在起跑线上，才是我们最终的目的。所以，如果这些理念不能平稳地着陆与实现，一切就都只是纸上谈兵，毫无价值。

因此，如何才能帮助一个企业在数据方面取得足够的成功？怎样利用数据智能真正把自己的企业变成一个精准商业的模型？类似这样的问题才应是我们关注的焦点。这里我们就将重点介绍一个在实操方面很有价值的新概念——活数据。

大数据是近年来我们经常听到的一个概念，它的特征是：大量、多样、快速、高质量。但我们会发现，这4个词只是在描述两个事实——数据的"大"与"快"，这些并不能帮助我们更好地进行商业决策。难道我们对数据的需求仅仅停留在"大"与"快"这两个方面吗？我们到底应该怎样去使用它呢？

想要让数据与现实生活无缝衔接，就需要数据在线，实时记录而不是主动采集；要不断更新，随时可用来产生洞察；需要在实际业务场景中被灵活使用，驱动下一个决策的产生。这个概念我称为"活数据"。

04

"活"的两层含义

这里提到的"活"字，有以下两层含义。

1.数据是"活"的

"活数据"一定是始终在线且不断更新的，可以随时被使用。

2.数据需要被灵活使用

"活数据"在不断地被消化、处理，产生增值服务，同时又能产生更多的数据，形成数据回流。

"活数据"的三大重要特征

了解了"活"字的具体含义之后，我们再来看看"活数据"的三大重要特征。

1.全本记录，而非样本抽查

虽然按照统计学的方法，一个随机样本也可以在相当程度上推导出全局的特征，但商业的环境是动态的，始终处于不断变化的过程之中，一个间隔很长时间才收集到的样本，充其量只能将静态的一部分描述出来，并不足以支撑商业决策的全部需求。

众所周知，在传统时代收集数据是一件极其麻烦的事情。首先得先整理出问题，随后设计合理的问卷调查，再有针对性地找人专门填问卷，这样才有可能收集到一些对商业决策有些许帮助的数据。但互联网的第一步就是连接、在线，你只要让自己的业务处于在线状态，就会得到巨大的好处。要知道，你的用户的所有行为都会在互联网上留下清晰的印迹，而将这些行为直接记录下来，就能够让你对这个用户进行全面而深刻的了解。

淘宝并不需要经常性地组织抽样调查，去询问用户对淘宝的服务是否满意。淘宝的每一个用户在登录后，后续的所有行为都会被自动记录下来。他们看了哪些商品、在某一款商品的详情页上停留了多长时间、最后购买了何种商品，这些数据都会被自动记录下来。这种不加选择全本记录的方式，毫无疑问意味着巨大的数据记录成本。因此，今天我们谈论"活数据"的最大前提，一定是数据记录成本的大幅下降。这个前提如果无法得到满足，"活数据"的概念不谈也罢，因为它无法落地。

2.先有数据，后有洞察

传统市场调查方法的第一步是整理问题，如果你想了解一个问题，或者想测试某一个假设，你就要根据这个问题去收集相关的数据。其中最麻烦的地方在于，一旦你发现自己遗漏了一些问题，或者产生了一些新问题，这个过程就必须推倒重来，从头收集相关的数据和信息。

但是在"活数据"时代，市场调查的整个过程被颠倒了。在越来越多的人口中，可以听到这样的说法："我们重视的是相关性，而不是因果性。"由于数据存储和计算成本足够低，我们可以把所有相关数据都记录下来，在业务的发展过程中去看哪些数据的使用能够让我们更好地进行洞察，能够帮助我们重新进行商业决策。简而言之，就是先有数据记录，再有分析和洞察。这样做的最大好处，是避免了事后出现新的需要调查的问题而被迫进行重复作业，这种传统方式所带来的成本是巨大的。

3.数据就是决策

数据就是决策。也就是说，数据智能的引擎机器要能够直接做决策，而不是传统的利用数据分析来支持人的决策。如果数据仅仅被用来支持人的决策，那便无法形成真正的闭环，不具备大规模复制推广的价值。

举个例子，如今很多企业不太理解数据工程师跟商业智能（BI）分析师的区别。其实，BI 是 business intelligence 的缩写，也就是所谓的商业分析部门，规模稍微大一点的公司都有这个部门。BI 分析师最核心的工作就是研究数据，然后将数据分析成一个个报告，支持高管做出某些商业决策。这里提到的数据其实是离线的，目的是支持决策，并非我们正在讨论的"活数据"的概念，真正的"活数据"一定要能将数据本身产生的洞察直接变成商业决策。

说到这里，让我再以淘宝为例。如果用户在淘宝上通过关键字搜寻自己想要的商品，那么他第一眼会看到什么、在第一次点击之后再给他看什么，类似这样的决策其实都是机器自主完成的。用户看到的一切其实都是机器想让他看到的，都是通过数据智能的算法自动形成的，不存在任何人为干预。

实话实说，早期我们也走了不少弯路。那时，为了帮助淘宝卖家进行数据化运营，我们的数据部门会不断地为卖家后台推送数据分析报告，然而收效甚微。后来我们发现，数据部门推送的这些数据，不仅使用率很低，就连打开率也不高，很多淘宝卖家甚至看不懂这些数据分析报告。在得出这一结论后，我们猛然意识到，其实卖家真正需要的不是去理解这些晦涩庞杂的数据，而是让数据直接帮助他们更快更好地做出决策，让他们的运营效率产生质的飞跃。

所以，我们第一个比较成功的产品就是在卖家的后台装了一个行动按钮。只要卖家点击一下这个按钮，整个店铺的陈列展现就会被自动优化，从而带动销售额的提升。对于卖家来说，这样的操作再简单不过，只需要点击一下鼠标即可完成。这个产品其实就是淘宝的后台通过"活数据"的运营，对海量数据进行算法分析，最后智能化地帮助卖家自动优化店铺展现，实际上就是让卖家的店铺展现智能化了。如果不是依靠机器和算法，仅凭人力来完成如此庞大且快捷的决策过程，估计连爱因斯坦也无法办到。

以上三大特征结合在一起，也就形成了反馈闭环的概念。只有"活数据"，才能让整个反馈闭环顺畅运作。你跑业务的时候自然会产生数据，这些数据会被自动、全部地记录下来，然后经过算法处理直接形成决策，用以指导你的业务，并通过客户反馈不断地优化你的决策。如此一来，整个企业的业务发展就走上了反馈闭环的正向循环，也就是走上了智能商业的发展道路。

如果从"活数据"的角度来考虑商业运营的话，感受便会很不一样。现在有很多人一听到"大数据"这个词，就会觉得和自己没有太大的关系——"我就是个小公司，数据量也不大，你们讲的那一套理念跟我没有任何直接关系"。但是，如果从"活数据"的角度去思考，你会明白数据量的大小只是个相对概念。如果让数据成为你业务中的自然组成部分，让机器成为你决策中的一个环节，你的商业行为就会走入智能化的快车道。

企业智能化＝在线化＋自动化

谈到智能商业，相信很多人会问：到底怎样才能赶上这个智能化的浪潮？我要做些什么？其实，智能化的浪潮并不像我们想象中的那样抽象，也绝非虚无缥缈、不可落地的事情，其核心就在于你能否创新性地实现产品化，把你的核心业务流程在线化。通过这种方式，全本记录用户数据便有了实现的可能。接下来要做的事情十分简单，你只需要在那些大型互联网企业提供的算法工具包里挑一个适合你的算法即可。

产品提供反馈闭环，数据作为原料，交给算法去处理，三位一体，你的业务就变成了一个智能业务，你的商业有了数据智能这一核心引擎，你就能跑在竞争对手之前。能否做到这些，决定着未来大部分企业的生死，如今国内有很多优秀的企业已经先行一步。

下面，我想和大家分享一个案例——流利说。

"流利说"创立于2012年9月，创始团队有三个人，都是理工科技术男。"流利说"的创始地与湖畔花园（阿里巴巴创始地）仅一街之隔。成立之初，这三位理工男首先做了一个简单至极的口语练习工具。通过这个工具，"流利说"成功积累了第一批用户，并且逐步形成了自己的社群。

社群形成以后，"流利说"沉淀了很多的内容。值得一提的是，他们的内容基本上是自演的，而且他们所找的是外国人，以此来确保文字和录音的规范性。发展至今，"流利说"已经拥有超过 5000 万的用户群体，其中 1/3 是中小学生，1/3 是大学生，另外的 1/3 则是成年人，其中以白领居多。

我与"流利说"的缘分源自一个朋友。一次偶然的机会，我和这个朋友在机场相遇。他花了 15 分钟为我介绍了"流利说"的案例，我听完后的第一感觉是这个案例太漂亮了！无论是时间、地点、人物还是事情，都恰到好处地演绎了数据智能的创新应用。

之后，这个朋友又和我谈起了对这个公司的看法，我当时的反应是："这个公司应该拥有 50 亿美元的潜力。"朋友对于我的说法并不赞同，他认为成人教育中的口语教育是一个较小的细分市场，在这样的市场内做出一个市值 50 亿美元的公司几乎是天方夜谭。就此问题，我们两个人还展开了一次争论。我觉得这个案例值得深入研究。因此，我们又和团队专门为此进行了两次交流，其间我确实又学到了很多东西。

关于"流利说"，我想和大家分享以下两点感悟。

在正确的时间、正确的方向做正确的事

2012 年创业时期，"流利说"恰逢移动 AI、云计算和大数据三大趋势的结合，所以才会有这样一个产品的诞生。试想，当时如果没有智能手机，没有麦克风语音输入，没有人工智能技术的发展……那么，语音识别甚至语音识别之后的语音语料处理，包括匹配、辨别、评测就都没有了基础。可以说"流利说"是在合适的时

间找到了一个合适的切入点，撬动市场的可能性也就因此大了许多。

事实上，我们在实际生活中不难发现，大多数成功的企业，不管它们当时有意还是无意，它们的成功都暗合了很多当时的大趋势和一些基本的商业规律，这是非常重要的。所以我们在湖畔开玩笑时经常讲，校董们分享的都是失败的案例，是希望大家少踩"坑"，但是教授就必须能够研究透，能够讲明白成功背后的原因，只有这种背后的东西才能帮助大家走得远，才能最后走向真正的卓越。

企业智能化

需要学习口语时，大多数人通常都会想到找老师约课，由老师来安排课程的方向和频次，却并不知道自己要学的到底是什么。针对这个问题，"流利说"找到了一个巧妙的解决方向——数据智能，它不仅有效实现了课程的在线化，还成功将其变成了一个个性化的学习课程，有效实现了智能商业的初步闭环。

其实无论是哪个行业，只要是想做大、做强，搭上智能化的顺风车就都是殊途同归的，需要完成的事情也都是一样的。我们完全可以把"流利说"这个教育行业的案例当成一个普适性的案例来看。通过它，我总结了企业智能化的两大步骤。

1.核心业务在线化

让企业智能化，对于绝大部分企业来说，第一步往往就是实现核心业务的在线化。

"流利说"的定位并不是一个评测公司，他们所做的口语练习工具，其实就是数据和用户的入口。他们最初所做的App，实际上就是一个和用户交流的界面，是一个数据收集器。利用它，"流利说"将用户录的每一条语音都进行记录，以使其逐步演变成一个世界上最大的"中国人说英语"的口语数据库。如今，"流利说"对于中国人自然语言识别准确率已经居全球领先水平。

由于智能手机的出现，口语学习实际上已经完成了数字化的过程，"流利说"将更多的力量集中于软件化的攻关上，也就是将大家习以为常的行为变成一个模型，再用软件将其贯通起来。但是在更多的场合下，核心业务的在线化是你首先应当考虑的事情，也就是运用IoT技术让线下场景变成线上场景。

最简单的例子是摄像头。由于摄像头的存在，我们才可以把场景录下来。如果这个摄像头是孤立的，那么它并没有多大的价值；但如果这个摄像头是联网的，那么它记录下来的视频就能够快速地在互联网上传播，价值得到了成倍的提升；如果这个摄像头后面还接了一个智能引擎，那它就能够进行人脸识别和ID（身份标识）匹配。

举个例子，如果将一个线下实体店和淘宝或者微信的数据打通，就能够轻松知道一个人在淘宝上的ID或者微信号是什么，可以将线下的独立个体转化成线上可以识别的人，这就是数字化的过程。这中间有硬件、互联网和算法的相互作用，但其核心是把一个线下的场景映射到一个在线的场景中。通过数字化和软件化两大步骤，将传统的服务搬到线上，这是企业智能化的第一步。

2. 业务环节自动化

实现核心业务在线化之后，接下来要做的第二步是完成自动化的过程。对于"流利说"而言，也就是将学口语变成一个非常简单的自动化过程。你的录音都会得到系统的反馈，你可以针对反馈不断提升自己的口语水平，也可以随时调整课程的进度，这其实就是机器人AI老师的概念。它是用机器决策取代了传统的老师反馈和课程改进，而这个过程需要的就是前文提到的数字化和软件化。

只要这两步能够顺利跑起来，不管你企业的规模，也不管你所在的领域，你就是一个互联网时代的新物种，你就能登上智能商业的快车，比别人更快演化。

2014年，"流利说"做了一个自适应的学习系统。这个系统可以把用户学习的数据输入到引擎中，引擎背后连接的是一个很大的内容库，然后把内容库中的每一个算法，穿针引线般给每个用户穿上不同的"珠子"。简单来说，就是根据用户学习的轨迹，为其创造比较个性化的学习体验。

在教育这一领域中，"流利说"可以说挑了一块最难啃的骨头。因为用户中有很大部分是成年人，要知道教育对于成年人来说并不是刚需。但"流利说"还是能够发展壮大，其中的奥妙自然不言而喻。在"AI+教育"这一领域，"流利说"有三个核心，即团队、数据和技术。其实用户是不直接消费数据和技术的，他们消费的是产品。所以就需要产品能够为用户提供足够好的体验，能够切实解决用户的问题，为用户创造价值。教育本身很重要的一点就是内容，内容不是冰冷的死物，"流利说"通过算法和机器引擎让内容"活"了起来，变成了一个标准化产品。

所谓企业智能化，简单而言就是"能学习的决策机器"，不但能够做决策，就连决策的效率和效果也可以通过学习的闭环不断进行优化改进，这当然需要数据和算法的支撑。我们可以看到，在"流利说"这个场景下，三位创始人从创业之初便对数据有着较为深刻的理解，将一款移动产品变为了数据输入的极佳入口，运用算法为输入的口语进行识别、打分和反馈。与此同时，还让产品保持快速的迭代优化，不断提升用户体验，从而取得了今天的成绩。

不可否认，"流利说"的成功有着特定的天时地利因素，但绝非无法复制。在某个特定的业务场景下，通过在线化和自动化形成智能商业的初步闭环，这是接下来最值得大家去研究的事情。

05

智能商业的特征：向精准升维

新旧商业的区别，在于精准。精准，就是精确和准确，分别对应着网络协同和数据智能。服务想要做到精确和准确，就需要不断地互动，不断地迭代优化，通过数据智能不断加深对用户的理解。未来的社会必然会向服务型转变，而那些无法为用户提供精准服务的企业，则很快会被淘汰。

"精+准"是未来商业的核心要求

互联网时代的到来，使商业衍生出了一种全新的模式，这就是智能商业。但是，智能商业和传统商业到底有什么本质区别？经过很长一段时间的思考，我终于找到了一个可以概括这两个概念根本差别的词语——精准。这个词在这些年里经常被人们提起，但一直没有被系统地完整阐述过。其实精准就是精确和准确，分别对应着网络协同和数据智能。

为什么谷歌、阿里巴巴、优步能够成功，能够有如此大的影响力？就是因为它们能够做到精准。精准广告、精准零售、精准交通、精准医疗……这些应该是时下最时髦的词了。虽然精准似乎有被滥用的风险，但仔细想想，这个词的确抓住了未来商业的本质。

谷歌开创了人类历史上第一个大数据驱动（如果用现在的词汇，也可以称之为"人工智能驱动"）的精准服务。那些存在了100多年的传统广告，其效率是没法准确评估的，而谷歌的精准广告是广告投放模式的革命。用户在谷歌上输入了某些关键词，自然可以将其判断为相关领域的潜在客户。通过关键词匹配发展出非常精准的广告，这种广告模式对于传统广告模式有三个根本性的颠覆。

根据效果付费

如果没人点击，就不会收钱，精准广告玩的是事后收费模式。

市场竞价，实时在线定价

精准广告的价格是市场竞价、实时在线决定的。传统广告全部都是事先定下价格再人工销售的，而在互联网上，一旦有用户搜索了相关的关键词，这时下一秒钟究竟闪现谁的广告，就是由相关性、出价高低等很多因子根据算法来实时决定了。

持续跟踪反馈

淘宝在谷歌的精准广告方向上，又往前走了一步。客户在淘宝投放一个广告之后，系统就会持续地进行跟踪反馈，比如，在过去的一个月中，由于这条广告产生了多少直接和间接销售。广告的投入和产出变成了一个可变成本，并且可以精准计算投入产出。客户可以清楚地知道这条广告给他带来了多少收益，这在以前是无法想象的事情。

人们以前总会开传统广告的玩笑，"我知道它有效果，但我却不知道是哪一部分有效果，到底起了多大的作用"。原来不管是所谓的监测报告还是评估体系，其实都没有办法真正知道一个广告的实际价值。但是在"互联网＋大数据"的时代，广告的确可以做到精准。所以，传统线下的广告都在快速地往互联网上转移，同时互联网的广告又向类似谷歌和淘宝这样的精准广告平台上转移。

商家投放广告的初心是为了销售，既然广告领域已经发生了变化，销售领域自然也会产生同样的精准革命。还是以大家熟悉的淘宝"双十一"为例。每年的"双十一"购物节，淘宝都会迎来上亿消费者，浏览者更是无法计数。但即使在这样的数据量下，用户在淘宝的每个小时，甚至是每次登录所看到的东西都是不一样的。淘宝会根据用户历史上的购物数据、"双十一"期间的购物数据、收藏夹里未购买的物品等所有因素，为用户定制专属的淘宝页面，也就是定制的商品推送，这样的精准零售让沃尔玛等传统卖场望尘莫及。

如今，精准的商业概念已经被越来越多的企业认可并复制。比如我们在手机上常用的UC浏览器，它会记录下用户每次点击的网页，并且根据用户搜索的内容，向用户精准推荐相关信息。再比如现在的各大视频网站，如优酷、腾讯、爱奇艺等，它们同样会记录用户每一次观看的视频，然后根据视频类型向用户进行精准推荐。

需要再次强调的是，这里所说的精准与传统商业的精准是截然不同的两个概念。传统大众化时代，每个通路处理信息的效率是有限的，匹配的能力是非常低的，所以每个消费者只能在有限的几个选择中进行决策。对于传统企业来说，利用规模优势进入主要通路，并且尽量抢占头部位置，才是商业的核心所在。在此基础上，传统商业中所谓的"精准"，只是降低成本、提升利润的手段之一，而且只能在很粗的层面实现。

进入互联网时代后，线上平台处理信息的效率和匹配能力几乎被无限提高，全世界的数据相互连通，每个消费者都可以在无数个可选项中做决策。因此每个通路，无论是广告、推荐、电商、社交还是工具，都必须优先向用户呈现最"精准"的选择，才有可能被选中。所以在新商业时代，精准是商业的核心要求，是产品和服务能否有机会与用户连接的先决条件，更是企业能否存活并做大做强的关键所在。

精准商业要建立在和用户的持续性互动关系之上，在这种持续性互动中，对产品（服务）进行迭代和优化，从而更加精准。在这个模式下诞生的产品是一种"活"的产品。而要创造一个"活"的产品，就必须以数据智能作为产品的核心。因为，一方面产品的价值很大一部分来源于数据智能在其中的应用，另一方面产品本身又是收集数据的渠道，形成反馈闭环、学习优化的基础。

同时，要与用户建立持续性互动关系，就必须以个性化、一对一的方式来实现与用户的连接，这样双方才有可能互动起来。但是想要同时能够和海量用户进行持续互动，就必须依赖于一个协同网络，只有协同网络才能支撑这样个性化的服务体系。

总而言之，在未来的商业文明中有两个基石：网络协同和数据智能。而我们所追求的最终目的则是实现精准的、不断优化的个性化服务。接下来，让我们分而论之。

精确：
通过网络协同，实现降维打击

未来智能商业的精准性要求，分为"精"和"准"两个方面。在这一节中，让我们先从"精"的层面讲起。

"精"指的是精确。过去10年，有一个词语出现得愈加频繁——个性化。在工业时代，个性化被当作商业的至高追求目标。彼时的基本逻辑是标准化大规模生产，按照同一个标准的模型来生产产品与服务。在这样的环境下，人的个性必然被抹杀。但个性、自由是所有人共同追求的目标，打压得越狠，反弹的力度也就越大，每个人都希望获得个性化服务。

但是个性化并不能完全代表精确，否则早在多年前，腾讯公司为用户推出的每个人拥有专属号码、可自由变换头像和签名的QQ企鹅就已经满足了精确的所有需求。在新商业时代，想要做到精确，个性化只是一个起点，精确的颗粒度可以被无限扩大。

那么，精确究竟是什么概念？如今的精确，不但要求企业根据不同的用户提供个性化服务，还要掌握用户是何地、何时、何种场景之下需要服务。这个道理其实说起来简单。每个人在早上9点和晚上9点时的心情大相径庭；在家和在公司的需求也不一样；酒醉与清醒的不同状态下，又会产生截然不同的需求。所以精确要追求的方向，是在极度颗粒化的场景下，依然能找到具体时间点的需求，然后按需服务。

在弄清了精准的概念之后,让我们思考下一个话题:究竟如何才能实现精确?答案的核心是通过协同网络的不断扩张,获取一个人在不同场景、不同状态下的更多数据。

举一个简单的例子。如果现在将某人在微博、微信、陌陌、淘宝、支付宝这些软件上所显示的所有数据都打通,那么对这个人的理解就会变得全面且立体,更便于商家在某个具体瞬间捕捉到他当时的某种服务需求。因此,我得出了以下结论:精确是通过协同网络的扩张,对一个人在不同场景下的理解逐步深化的过程。

只有协同网络才能完成个性化服务,只有当一个网络能满足千万人需求的时候,才能真正满足一个人的需求。这是一次非常有趣的商业突破,它实际上是突破了一个传统的供给悖论——用网络上大规模的方法完成个性化服务。相对于一个固定的线性供应链结构,网络结构才有弹性来支持任何一点的需求,满足低成本、柔性化、模块化等要求,这些都是过去被认为商业上不可能实现的组合。

为什么淘宝和谷歌这样的企业,一出现就能够对传统企业进行摧枯拉朽般的打击?个中关键在于它们实现了过去做不到的组合,提供的核心客户价值让人无法抵挡,这才是网络结构的优势所在。在这个网络上能够进行全局动态优化,这是固化的供应链难以做到的事情,也正是所谓的降维打击。

从工业时代到数据时代,无论是基本逻辑还是指导思想都在发生着变化。工业时代要解决供给不足的问题,让大家都能用得起,所以它的核心就是标准化,只有标准化才能进行流水线生产,实现大规模和低成本。由于中国中产阶层的不断扩大、消费需求的日益增加，产能需求进一步扩大，对标准化又提出了更高的要求。这个正向循环的整体逻辑是线性的，以控制为核心。精确的系统一定要能有效控制；一旦失控，整个系统就面临崩溃的局面。

然而进入互联网时代之后，一切都发生了变化。新时代对企业的要求是一切以客户为中心，以C端为中心，C2B模式成为主流。这种模式强调个性化和差异化，追求的是价值而非成本。由于供给过剩，商家必须强调将给客户带来何种额外价值，客户才会愿意为此买单。因此，互联网时代强调的是网络和社会化协同，看重的是自组织生长，这是一种生态思路、网络思路和演化思路。

说到这里，解决精确问题的关键，又回到了如何才能构建协同网络上。伴随淘宝10多年一路走来，我们有了以下心得和体会。

降低准入门槛，扩大生态容量

要想构建协同网络，首先要能够通过赋能降低门槛，让原来不存在的供给者进入，这样才能极大地扩大生态容量，才有可能改变原来的格局。

在旧体制里改革，从来都是一件很难的事情。既然存量难改，那么你能做的只有增量改革。当增量达到一定程度后，新的东西才能把旧的东西囊括进去。

最早的淘宝，我们戏称它是"边缘人群卖边缘商品"。那时候只有找不到工作的大学生和下岗工人，才会到批发市场批发一些东西，将其放到网上来卖，而这些人在传统商业模式中根本无足轻重。渐渐地，这些人靠着自己的勤奋和新技术，"吃螃蟹"一般做出了示范效应后，才让一些稍微有点钱、有点能力的人愿意加入其中，就这样一棒一棒地传了下去。因此，我一直认为，低门槛是非常重要的一个竞争手段，越大的生态越需要低的门槛，这样才能保证足够的容量。

以协同为核心的不断演化

淘宝是怎么变成平台的？答案不是淘宝去发展关系，而是大家之间发生了关系。除了最开始的买家与卖家，绝大部分角色都不是我们按计划设计出来的。比如，从"窄带"到"宽带"之后，出现了模特需求，于是有一批人当起了网店模特；随后有一部分没有货源的卖家提供运营服务，于是就出现了名为"代运营商"的新物种；渐渐大家发现对快递服务的要求越来越高，于是就出现了几家来自桐庐小镇的快递公司……像这样的例子，还有很多很多。

新物种是不断演化的过程，是以协同为核心，让网络不断扩张的过程，这一点在中国非常特别。而在美国，因为传统商业极其发达，每个环节的效率都很高，所以电子商务很难在整体上重构美国的商业版图。

准确：
数据智能的背后，是商业逻辑的根本改变

在展开讲"准"这个概念之前，我们先要对当前时代的宏观背景有个准确的认知：我们这个时代，已经从短缺经济变成了过剩经济。其实早在 20 世纪 90 年代，美国就已出现物质极大丰富的现象，绝大部分的商品都处于过剩状态。中国在赶超了 40 年之后，近几年也出现了产能严重过剩的情况，大部分标准化产品的竞争都无比激烈，因为标准化产品的市场已经饱和了。未来竞争的核心，将从满足显性的标准化需求变成挖掘潜在的个性化需求。

这是一个根本性的差别。在传统工业时代的逻辑下，广告和标准化的生产是相匹配的，先有标准化的产品，然后通过广告去激发需求，再通过渠道把这个激发的需求与产品匹配起来。进入互联网时代之后，我们能够做的是更好地挖掘潜在需求，而不是用标准化的服务去满足某种被广告激发的需求，这就回到了我们本节的关键词——准。

"准"指的是准确，而这只有通过智能化才能实现。依靠牛顿经典力学为代表的现代科学所发展起来的工业时代，是追求确定性的时代。在那个时代，人的信仰是科学能够发现一切规律，依靠规律就可以将一切事情做得准确。最近 50 年，随着量子物理和计算机科学的发展，新时代最大的特点就是开始接受不确定性，尝试用统

计的方法来逼近准确性。所谓的机器学习和人工智能，就是先从一个非常粗糙的目标开始，逐步迭代优化，最后可以达到非常准确的高度。

谷歌翻译的准确率可以从一开始的40%，仅仅利用几年时间就达到很高的水平，就是因为它拥有了和工业时代完全不一样的思路。谷歌翻译是用统计、概率、学习、反馈来逼近精确，向越来越准确的最终目标前进。它要求"活"数据，而不是一般意义上的"大"数据。只有量是不够的，数据必须和业务完整地融合在一起，在此基础上有模型和算法，还要有云计算和大计算能力支撑海量数据处理。这就是未来商业真正比拼能力的地方，能否做到更加准确，这是商业逻辑的根本变化。

到了现在，如果还用工业时代的逻辑，三年计划一个产品，然后希望这个产品在未来某个时刻能打中人的需求，这样的概率几乎为零，没有任何准确性可言。所以，未来服务的准确度是去挖掘潜在的需求，我们要用一套全新的方法论去指导这种思考。而这个方法论想要变成一套完整的运营体系、业务流程，就需要拥有一个互联网化的支撑系统，才能提供更加准确的服务。

那接下来的关键问题就是：如何挖掘潜在需求，才能实现最高效率？

如果让人和一个个用户不断地进行互动，看他们到底想要什么，这是一种成本很高的方法。就像做所谓的定制化服装一样，要人跟人之间发生很多次的反复互动才能达到目的，性价比非常低。如果这种场景想要普遍化，最终还是要靠我们讲到的数据智能。你先要建立起一个有效的产品通道，将商家跟潜在的客户联结起来，再通过各种各样的方法去试探客户的反馈。最终双方动态的匹配形成某个时间节点的最优服务，而这个服务又会随着用户的需求不断演化。

想要完成这个目标，唯一的方法是通过持续的互动进行产品的迭代和优化，光靠人力注定无法完成，背后需要数据智能引擎的支撑。只有用机器决策取代人力决策，才能在足够短的时间内快速学习、提升和逼近可能的潜在需求，这样得出的判断才是准确的。用工业时代的思想无法企及准确这一高度，只有用数据时代的思想，人们才能用渐进的方法来快速迭代、试探。其实这种试探是双方的，只有经过多次的摸索、互动，最后才能找到一个当时足够满意的服务。

既然要靠试探和摸索，那便离不开数据智能的自我学习能力。在这方面，淘宝的经验或许能为你提供帮助。

在线记录数据

淘宝提供在线购物服务，用户所有浏览和购买行为自然就被记录了下来，这不是额外的动作，而是业务的自然过程，是记录数据而非收集数据。

收集所有的数据

淘宝不仅能够记录买家的购买数据和浏览数据，就连买家在两个浏览行为之间停顿多少时间这样微小的行为都会一一记录。这些数据的价值在当下或许不会得到体现，但在将来的某一天也许能够对你产生极大的帮助。先大范围地收集数据，数据的具体价值留待将来慢慢发现，这也是一种很不同的思路。

要想做到以上两点，就要把一切业务在线化、软件化，这是与ERP平台①的根本差别所在。ERP是将管理行为固化，通过最佳实践的软件化传播来提升管理效率；而未来需要的是要将业务行为软件化表现出来。人能够通过潜意识对用户的一个线下行为进行预测，但无法让机器通过学习加以掌握。只有当你把业务的全部流程都用软件方式表现出来，并让其在线化之后，接下来的一切才有了开始的可能性。所谓机器智能，就是用最笨的方法做出最聪明的结果，这是第一步。

我们之前讨论过淘宝的网红店铺，为了追求在线实时业务流，很大一部分的网红店铺都在重写业务流程软件系统，抛弃了过去常用的ERP平台。在线化会带来庞大的数据流，在掌握了用户的全部数据之后，再使用预测反馈校正的方法指导业务决策。从这个角度讲，数据就是决策，而不是数据支持决策。智能化的第二步一定是自动化，就是直接让机器做决策。

用户在淘宝的搜索框中输入一个关键词，或者点击某个地方会出现什么内容，这些事情都是机器直接决定的。也许有人会产生这

---

① ERP，enterprise resource planning的缩写，即企业资源计划，是指建立在信息技术基础上，以系统化的管理思想，为企业决策层及员工提供决策运行手段的管理平台。

样的疑问："我怎么知道机器做得好还是不好？"其实这就是模型、算法、反馈要改进的过程。一定要将决策数据化才能够加以持续优化。在优化的过程中，服务会逐步变得精准和智能。如果你的核心业务没有在线化、自动化、数据化，你就没有开始智能化的过程。请记住，"离线动物"是无法和"在线动物"较量的，因为"在线动物"有很多工具可供使用，这根本就不是一个量级上的竞争。

最后还有一个问题需要解决，那就是怎样才能快速进行智能化服务。关于这个问题，前面的不同章节都有涉及，这里再强调三点，希望能够对你有所启发。

数据化往往是一个很昂贵的过程

问一下自己，你是否有足够的创造性，能够找到一种适合你的方法完成数据的初始化？这一点非常重要。如果你能够用足够低的成本、在足够短的时间内，掌握足够大的数据量，你的胜出概率将大为提升。在互联网时代，谁能够找到有创意的数据化方法，谁就具有重要的竞争优势，也就能真正融入未来的智能商业中去。

只有上线，才能迭代优化

不上线就没有用户反馈，就不知道往哪个方向优化，迭代便无从谈起。这两年有一个很好的例子——特斯拉自动驾驶。在全世界范围内，有数量庞大的特斯拉电动车在路上飞驰，特斯拉公司自然能够收集到大量的数据进行优化，这是智能商业非常重要的一个方向。

用机器学习的逻辑贯穿整个业务过程

还有一个问题需要问问你自己：针对一个足够大的问题，你能否找到新的算法来挖掘数据背后的洞察？千万别小看这个问题，要知道，算法创新具备极大的实用价值。谷歌正是凭借两个别出心裁的算法，支撑起了自己5000亿美元的市值。再举个简单的例子，未来一定会出现某种算法，让餐厅实现按收费最大化的目标来安排订位。但在这个算法没被人发现之前，大家就享受不到这样的服务。换句话说，这是未来餐饮业的商机所在，相信无数有心人正摩拳擦掌，打算凭借自己的力量打下全新的商业版图。

06

黑洞效应：智能商业胜出的秘密

黑洞，是一个让人望而生畏的词语，它有着极强的引力，能够将所有接近它的事物吞噬殆尽，甚至连光都无法逃脱。未来的智能商业有着像黑洞那样无限大的潜力与空间，可以包容一切的人、数据甚至时间。而拥有"黑洞效应"的企业，可以搜集到无数的数据、信息，从而持续不断地高速发展。同时，因为越来越庞大的数据基础，智能商业的发展也必将越走越远，做到真正的海纳百川，有容乃大。

黑洞效应：
智能商业的优势源泉

近年来，有一批企业以前所未有的速度发展，如滴滴、今日头条、摩拜、快手、瓜子，以及最近的抖音。那么，为什么这些互联网新兴企业能够拥有如此强大的生命力和火箭般的发展速度？同时，那些已经拥有庞大体量的互联网公司，如阿里巴巴、腾讯、亚马逊，又是如何继续保持着高速增长？要知道，这种情况在商业史上颇为少见。

我在研究和梳理这些案例的时候，找到了一个很有意思的观察角度，我称其为智能商业的"黑洞效应"。既然叫"黑洞"，自然意味着它有巨大的能量场。那么这些"黑洞"的能量场又是如何形成的呢？

网络效应

智能商业双螺旋之一是网络协同，而网络协同的驱动力就是网络效应。既然是互联网企业，天生就带有"网络效应"，具备指数型扩张等大众已经非常熟悉的互联网天然优势。所以，"黑洞"型企业的第一个优势当然就是网络效应。

学习效应

数据智能是智能商业双螺旋的另一个重要组成部分，而数据智能有着乘法的优势，也就是学习效应。打个比方，机器的算法在不断对数据的处理中提升了自己的智能水平。这是 7（一周 7 天）×24（一天 24 小时）永不停歇的自我运转，所以这种学习效应是乘法叠加的。"黑洞"型企业越学越聪明，学得越来越好、越来越快，这就是学习效应。

数据压强会推动数据智能发展

一个网络在不断扩张时，数据天然会被记录下来，随着时间的推移，积累的数据会越来越多。当网络越来越复杂以后，靠人力根本无法完成如此繁重的工作。就像我们提到的快手，人流量快速过亿。如此庞大的人群，每天都会产生极为庞大的数据量，我称之为"数据压强"。在这种巨大的原生性压力面前，人力束手无策，数据智能是唯一且必然的选择。而快手高速成长的原因之一，正是从一开始就将平台运营建立在了机器学习的基础上。

再以淘宝为例。早在 2008 年之前，我们就已经感觉到传统的类目再也无法处理这个平台上如此多的商家和商品信息了，消费者的购物效率出现了直线下滑的趋势。因此，淘宝从 2007 年开始计划，在 2008 年全面投入，用搜索引擎取代传统的分类浏览。在当时，搜索引擎是一款数据智能的新产品，只有搜索引擎才能支撑淘宝复杂网络的爆发式成长需求。对于搜索引擎而言，处理 1 亿件商品与处理 100 亿件商品并没有太大的区别，只要它的可扩容性能够承载就可以了，但这是人力无法达到的效率。

现在看来，淘宝的数据智能之路，与日趋庞大的网络所产生的"数据压强"息息相关。在"数据压强"面前，要么数据智能，要么变成肉泥，没有第三条路可选。

数据智能拥有网络张力

如果说自然资源中的石油与钢铁是 20 世纪最重要的生产资料，那么在当下的时代中，最重要的生产资料就是数据。二者的主要区别有以下几点。

1.物质资源有形，数据资源无形

数据和石油、钢铁的最本质区别在于，石油和钢铁都是物质资源，而物质资源都是有形的。就像一杯水，只要有一个人喝了，这杯水就没有了，别人自然也就无法再喝了。数据、信息则是无形的资源，可以被反复传播共享。

2.物质资源传播成本高，数据资源传播成本低

数据信息的复制和使用的边际成本近乎为零。换句话说，数据信息无论在网络上被传播多少次、传播得有多快，都不会提高数据信息的传播成本。反观那些物理属性的物品，无论你用何种方式进行传播，速度与成本都会受到很大的制约。

3.物质资源的使用是损耗过程，数据资源的使用是价值创造过程

物质资源越用越少，最后的结局就是完全枯竭，因此，物质资源的使用过程是单纯的损耗过程，而数据资源却不然。数据的使用过程是一个增值过程，有多少人查看，查看的人是谁，这些信息本身就有着巨大的价值。如果查看信息的人再去点个赞、留下一条评语，甚至再转发一下，整个信息的价值更会以几何级数上升。从这个角度看，数据资源的使用过程可以算作是一个价值创造的过程。在我看来，任何互动产品的设计都极有价值，原因就在于这些优秀的互动产品，让信息的消费过程变成了信息的再生产和信息价值的再创造过程。也就是说，在网络上有多少互动，就能够产生多大的信息价值。

4.二者的经济学原理不同

在给传统的物质资源定价时，成本因素起到了很大作用。但是对于数据资源而言，编辑复制它的成本基本趋近于零。另外，同样的数据资源在不同人眼中，价值也完全不同。从市场有效性的角度来看，某个特定信息总是有着极大的意愿去触达不同的人群，总是希望能够在网络上"走"得更远一些。唯有如此，它才会有更大的概率遇到某个愿意为这个信息付出高额溢价的人。

在了解了物质资源和数据资源的四大不同之后，你会越来越清晰地发现：数据就像是一个黑洞，它总想越变越大，触达的人越来越多。因为数据传播和消费的过程，本身就是价值创造的过程，而

传播的边际成本又非常低。这种不对称性使得数据有很强的动力去尽可能地在全网络传播，这是一种天然的网络张力，所以数据的积累又会进一步推动网络的扩张。

以上四大优质DNA的重叠附加与彼此赋能，让有着"黑洞效应"的企业占据了指数级增长的竞争优势。这些优势的乘法叠加，足以在各自的行业和领域内掀起一次又一次的惊天风暴，也由此诞生了一个又一个智能商业独角兽。诺基亚与摩托罗拉的悲剧式谢幕、雅虎的破产贱卖……那些曾经无限风光的行业巨头纷纷倒下，暴露出了现实的残酷性：传统商业在面对这样的对手时，几乎毫无还手之力。

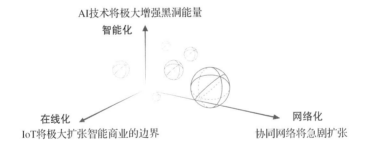

图 6-1　黑洞效应

在智能商业的时代，想要让自己的企业获得成功，首先要问自己4个问题：

- 第一个问题，我的企业能否最大限度地实现网络化？
- 第二个问题，我的企业能否尽可能地引入机器的学习效应？

- 第三个问题，我的企业能不能在网络扩张的过程中，尽可能地用机器决策取代人工决策？
- 最后一个问题，我的企业能否让自己收集的数据与更多不同类型的数据产生交换？

这4个问题，每解决一个，你就离成功更近一步。因为，这4个问题代表了"黑洞效应"的4个不同优势，无论哪一个优势都能为你的企业带来巨大的发展动能，都能为你的企业创造出巨额的价值。

黑洞效应的必然方向是智能商业

在了解了"黑洞效应"的四大共性后，让我们来思考这样一个问题：既然黑洞效应的威力如此巨大，那么它会将我们的世界带向何方？

在我看来，物质、能量和信息分别是世界的三大核心资源。而在信息这个维度中，还可以分为两条主轴：一条是通信和通信，另一条是处理和计算。在人类文明高速发展的这些年，物质与能源这两大核心资源带来的巨大变化，大家都已经很熟悉了。而信息这条主轴上的技术进步，同样推动了人类社会突飞猛进的发展。因此，我们只需要将目光聚焦于信息这个点上，将人类的三大文明时代进行横向对比，就可以得到这个问题的答案。

在农业文明的早期时代，人与人之间通信与通信的实现，主要依托于烽火台、信鸽和驿站。通过烽火来传递信号，通过动物（如飞鸽和驿马）来触达更多的人。文字和后期印刷术的发展，极大地提高了通信的效率。而彼时的处理和计算，主要依靠的是算筹和阿拉伯数字的发明，是几何定律与代数法则的出现，以及不可不提的算盘。实际上，农业文明的社会框架就是依靠这些形成的。

在人类文明进入到工业时代后，蒸汽机的发明让世界变得越来越小，曾经无法逾越的距离与天堑不再能够阻碍人类探索世界的步伐；电的发明在万家灯火璀璨的同时，也为世界带来了电报和电话。这两大跨世纪的发明让人类世界在通信与通信这条主轴上，出现了几何级的效率提升。同时，对计算能力也产生了巨大的需求，催生了一家时至今日依旧如雷贯耳的企业——IBM（国际商用机器公司）。

IBM创立于美国，初期以生产计算器为主业。计算器的生意带给IBM无限的财富与名声，也聚集了大量的人才。正是依托于这些时代的精英，IBM在发展后期成功将主营业务转为文字处理机，再到如今的计算机及相关咨询服务和解决方案。今日的IBM依然是业界的巨头，麾下员工遍布世界各地，人数高达30多万。2016年，IBM宣布该公司在美国一共获得了8088项专利。虽然在互联网时代面临巨大挑战，但在计算技术的进步领域，IBM建立了百年基业。

除了蓝色巨人IBM，100多年前成立的另一家公司，直至今日依旧对世界产生着巨大的影响，它的名字叫NCR。NCR起家于付款机业务，在2011年还曾名列世界500强，提供的服务更是涵盖了制造、金融、交通、安保、旅游等诸多领域。

在IBM和NCR这两家公司身上，隐藏着这样一个成功秘诀：

在工业时代，不管是计算器还是付款机，任何简单的机器一旦包含了一定的计算能力，就能被称为当时最前沿的科技，足以诞生一家巨头级别的公司。

如果追溯智能商业的起源，我们就得将时光调至 1989 年。正是在那一年，世界上第一台个人计算机成功连接至公共的互联网网络。信息资源的两条主轴——通信和计算——终于合二为一，个人计算机在具备了计算属性的同时，又具备了通信节点的通信属性。正是有了两条主轴的相互重合，网络协同和数据智能的双螺旋结构正式成型，开始了极为强劲的耦合发展，进而奠定了智能商业时代的基石，也为崭新的时代揭开了序幕。

换言之，经过了几亿年的不断演进，人类依靠碳基能源，终于完成了整个世界的物理连接，再加上钢铁与照明，共同构成了如今的世界。而未来的智能世界，则需要人类在这些物理连接的基础之上，完成创造力、知识和智慧的联结。

这是一个伟大的联结过程，它分为三大实践步骤：

- 人脑的联结。
- 全世界机器智能的联结。
- 人脑与机器脑直接联结的网络。这同很多科幻电影中描述的场景极为相似，艺术是生活的延伸，而那一天似乎离我们越来越近了。在特斯拉、SpaceX（美国太空探索技术公司）等公司外，马斯克的 Neurolink（脑机接口公司）所聚焦的就是这个领域。

06

　　如果说在过去十年间，智能商业的概念听起来还比较遥远，那么时至今日，我们已经可以对这个伟大的商业文明时代感同身受。尤其是生长在互联网环境下的 90 后与 00 后，这两代人从出生起便处于当下这个新时代中，他们对所有新生科技都能自然地接受并且理解，毫无违和感。前文提过，1989 年正是智能商业的技术起点，这也意味着智能商业的演变过程和用户以及整个社会的演变过程完全同步，我们的生活越来越网络化、场景化、流动化和碎片化。

　　如今，人们生活在云端之上和朋友圈里，物质条件已经极为丰富，甚至出现了过剩的情况，但焦虑感却始终挥之不去。每个人都桀骜不驯，追求着自我个性的极度释放，但与此同时，对于自己所认同的一个个小社群，我们又无比的忠诚。这是一个全新时代的开始，智能商业的目的，不是为了满足工业时代中那一个个毫无个性的人的物质需求，而是为了满足一个个完全不同的人在完全不同的社会中的发展需求，这也正是所有科技进步的终极目标——以人为本。在未来，每一个人都是被服务者，也都是这个世界的主人。

　　毫无疑问，这是一个让人极度兴奋，却又倍感恐惧的未来。到那时，如今所有一切庞大、臃肿、老态龙钟的企业都将被淘汰。企业要想存活，就必须时刻保持警惕，不断学习进步。因为稍不留神，就有可能被新一代的浪潮淹没。

第二部分

商业模式变革

随着人类社会的不断进步，商业模式也在不断地变革。曾经，所有的品牌都想着不断扩大规模，让所有人都使用同一种商品，而现在的品牌变得越来越细分，越来越多元，越来越重视小部分人的意见与需求。这不仅是商业史上的一次革命，更是人类文明的跨越式发展。

07

C2B：未来的核心商业模式

随着生活水平和科技水平的不断提高，用户的个性化需求逐渐显露。想要"一网打尽"所有用户并靠规模制胜的传统商业模式已经渐渐被时代淘汰，C2B模式由此悄然兴起。谁能够把握这一趋势，谁就能成为未来的商界领袖。

传统三大商业模式

商业模式并不是一个新颖的词汇，不但不新颖，反而十分陈旧。商业模式是从人类社会建立之初就已经存在的概念，以物易物也许就是商业最早的存在模式。所以，如果你想要做一个企业，而不单单是一次成功的生意或者投资，就一定需要一个有最终目标、可持续性的商业模式。因为只有确立了目标，你才能够制定出清晰明确的发展路线。投机也许可以当作一时的手段，却绝不能作为长期的战略目标。

这么多年来，商业圈形成了一种很有趣的风气，仿佛所有人都急于表达自己对于商业模式的看法，但殊不知能够将商业模式解释通透的，一向都只是"事后诸葛亮"般的存在。当然，适时总结肯定比一味蛮干要好太多，而我也十分愿意总结一下在中国互联网历史上出现过的不同商业模式，因为它们代表了中国互联网发展的不同方向。

无论何种商业模式，它的起点一定来自用户的痛点，来自一种未被发现或满足的需求。在商业领域内，较为常见的有B2B、B2C、

C2C（个人对个人）三大商业模式，这里面的B指的是business（商业、商家），C指的是customer（顾客、客户），2也就是to（对、到）。下面就让我们来详细了解一下其中的不同之处。

B2B代表企业：阿里巴巴、中化网

B2B指的是商家对商家，这是极为常见的一种商业模式。2B的业务往往意味着项目单价和利润率都比较高，是很多企业首选的生存之道。我将B2B分为两种：水平B2B和垂直B2B。望文可知义，水平指的是企业与客户企业之间是平行关系，而垂直则是指二者处于同一产业链之内，属于上下游关系。

1.水平B2B

阿里巴巴是较有代表性的水平B2B企业之一，如今，阿里巴巴已经成为全世界最大的商人社区和网上贸易市场，为全球近200个国家、700多万家企业提供服务。既然我们说到了水平B2B，那么阿里巴巴便是绕不过去的典型案例。

马云曾在不同场合多次提到，阿里巴巴的使命是帮助他人成功。那么阿里巴巴如何帮助客户成功？我将其分为以下4类。

（1）帮助企业完成交易

这一类十分简单，也就是为买家服务，帮助这些企业找到它们想要的商品。

（2）帮助企业宣传

第二类主要针对的是卖家企业，通过对企业产品、形象、文化的宣传，帮助它们找到更好的买家。

（3）帮助企业"交友"

第三类可以称为商业圈的"交友"服务，也就是通过阿里独创的 TradeManager（阿里旺旺国际版）软件，帮助企业之间进行交流与信息传递。

（4）帮助企业寻找商机

阿里巴巴会发送大量的国际商业行情，并且提供细致周全的专项咨询服务。

阿里巴巴平台创立的目的，就是为了企业之间能够更好地合作，信息传递能够畅通无阻、互利互惠，相关企业共同变得强大、繁荣。

2. 垂直 B2B

与水平 B2B 对应的则是垂直 B2B，中化网就是其中的佼佼者。中化网全名为中国化工网，是中国第一家专业的化工网站，也是目前知名度最高、最受消费者信赖的化工专类网站。垂直 B2B 其实就是为企业寻找上游与下游伙伴，为零售商寻找供应商，为生产商寻找经销商，大大提高了企业之间的合作效率。

B2C 代表企业：亚马逊、天猫和京东

B2C 商业模式是指商家直接将产品或服务销售给消费者，电子商务的先驱亚马逊公司可谓其中的杰出代表。亚马逊公司诞生于 1995 年 7 月 16 日，最开始经营的是网络图书。由于库存书籍数以

百万，曾被称为地球上最大的书店。

从互联网中尝到甜头的亚马逊创始人杰夫·贝佐斯，更加坚定了创业时选择的互联网道路。1999年，贝佐斯将亚马逊的业务范围拓展到了电子产品、音乐和视频等领域，此后更是一发不可收拾。很快，化妆用品、婴儿用品、家居用品等领域都能看到亚马逊的身影。如今的亚马逊几乎已经做到了应有尽有，成为互联网中的"百货大楼"。

在中国，大家都非常熟悉的天猫商城采取的就是B2C模式。天猫诞生于2008年，前身叫作淘宝商城，是淘宝网中的一个独立单元。因为有着淘宝网5年的经验和海量的数据支持，天猫甫一问世便得到了广大消费者的普遍信赖。2011年10月，共有38家B2C模式的商家加入天猫；到了2012年的"双十一"，天猫更是创下了13小时销售额突破100亿元的惊人成绩，创下了世界纪录。在随后的几年里，天猫不断突破自己保持的销售纪录。2017年"双十一"，天猫商城以总成交额1682亿元的战绩，再次刷新了世人对天猫的认知。

C2C代表企业：易贝、淘宝

C2C即个人对个人，网站作为平台存在，连接着买卖双方。在国外的网站中，我们最为耳熟能详的此类网站当属易贝，它是全球首屈一指的个人和企业销售商品和提供服务的在线交易市场。

1995年，易贝创立于美国的加利福尼亚州。与绝大部分网站不同，创始人皮埃尔·奥米迪亚创办易贝的最初目的并不是为了圆自己的创业梦，而是因为他的女朋友喜欢收集糖果盒，却苦于找不到有相同爱好的人分享自己的喜悦。于是奥米迪亚创办了一个拍卖网站，希望能帮助女友和全美国的糖果盒爱好者交流，这就是易贝。

没有人能够想到，如此"随意"建立的网站不仅成功地存活了下来，并且居然能够越做越大，越做越强。如今，易贝的注册用户已经超过 2 亿，每天都有来自全球近 30 个国家的用户在这个平台上进行交流、交易。

在国内，淘宝网是 C2C 网站的典型代表。淘宝网的发展历程我已经在前面和大家介绍过了，这里不再赘述。C2C 这种商业模式，其实易贝比淘宝起步更早，但剑走偏锋一直是阿里人的作风，淘宝并没有选择和易贝进行正面对决，而是选择了进攻增量市场，这一次交手被人们称为"中国智慧与美国思维的交锋"。

对于中国市场而言，用户人数众多、商品质量参差不齐是我们一直关注的重要问题。为了能给用户提供更好的服务，淘宝在 2003 年便推出了"支付宝"，通过它为消费者在淘宝上的消费进行担保，为消费者的权益保驾护航，这次尝试得到了大多数用户的认可，淘宝开始大跨步向前迈进。随着我们对互联网和智能商业认识的日益深入，"阿里旺旺"于 2004 年应运而生，让淘宝的购物不再单调，给了消费者一个表达意见、说出自身想法的途径。如今淘宝实现了"千人千面"的阶段性目标，所有用户都可以在第一时间得到最细致的服务。

C2B：
对传统工业时代的颠覆

对企业而言，最重要的战略决策就是要对未来行业的最终发展方向进行判断。2012 年，在我和马云的一次交流中，我们碰撞出了C2B的想法，也就是customer to business，我们都认识到这将是互联网时代一个最重要的基本商业模式。C2B模式是对传统工业时代的一次根本性颠覆，是真正客户驱动的商业。企业终于可以用较低的成本建立起和客户持续的互动，并在此基础之上，通过不断的运营来迭代优化对客户的服务。

李克强总理曾强调所谓的C2B，就是消费者提出要求，制造者据此设计消费品、装备品。这是一场真正的革命：一个企业不再是单个封闭的企业了，它通过互联网和市场紧密衔接，和消费者随时灵活沟通。C2B商业模式最明显的特征就是以用户为主导，用户从商品的被动接受者变成主动参与者，甚至是决策者。品牌与用户的关系从单向的价值传递逐渐变成了双向的价值协同。

B2C和C2B并不像看起来那样，仅仅是字母顺序的颠倒，这里边实际蕴含着对整个商业逻辑的根本性颠覆，也是商业网络从传统的供应链走向网络协同的一种全新的基本模式。这种基本模式的变化，甚至可以被当作一个商业范式的革命。只有当C2B模式开始大规模兴起的时候，商务的整个链条才会被互联网彻底重构，我们才真正进入了所谓的电子商务阶段。

电子商务阶段的品牌，一定是由用户作为主导的口碑品牌，而不再是由厂商作为主导的广告品牌，品牌是在与用户一次次交流、互动体验中慢慢树立起来并传播出去的。尤其是 90 后、00 后的年轻消费群体，他们不但希望得到符合预期的产品，更希望通过交流成为产品研发和设计的决策者；他们希望产品中有自己的想法与创意，能够体现出自己独一无二的个性。这种个性化消费潮流和消费行为的变化，使得 C2B 模式出现以后迅速升温，甚至已经呈燎原之势。

个性化消费的潮流创造出了一个全新的个性化需求的市场，使来自各行各业的团队、公司纷纷加入 C2B 模式的行列中。如戴尔通过直销网站实现了用户先定制方案，后再组织生产；在尚品宅配家居网，用户可以深度定制属于自己风格的家居产品；上汽集团的 MG5 极客版汽车也是如此，用户可根据自己的需求，选择配置、座椅、系统、保险、车贷，甚至语音助手对主人的称呼，等等。众多企业纷纷以这样的 C2B 模式来满足用户的需求。

这些定制均是以满足用户的个性化需求为首要目标，实现了 C2B 的真正落地。但是，在企业进行个性化定制的同时，个性化与规模化之间的矛盾也逐渐显现出来。如果厂商需要为个体制作一个特定的产品，那么生产成本会大大增加，尤其是一些复杂功能的定制，其成本之高是一般企业无法承受的。

目前，市场上广泛应用的 C2B 定制方式，并没有从根本上解决个性化与规模化的矛盾。而天猫商城推出了一种基于数据智能的

C2B模式,为C2B的发展打开了一扇新的大门。

阿里包下了美的、九阳、苏泊尔等10个品牌的12条生产线,专为天猫提供小家电定制服务。其前提是,通过天猫自己所掌握的数据,做出分析结果,去指导这些生产线的研发、设计、生产和定价。

此外,天猫还启动了数据共享计划,将收集到的行业数据,例如价格分布、关键属性、流量、成交量、消费者评价等分享给厂商,通过大数据指导厂商研发、设计和生产,更多的厂商将受益于大数据的应用。

比如,天猫数据分析的结果,北京雾霾天气比较多,北京的用户对空气净化器的需求就更多,天猫根据这些结果为小家电进行特别的功能设计。天猫还可以根据地域和时间数据的分析结果,为生产线安排合理的库存。

在天猫包下生产线的方式中,用户的搜索浏览、驻留时间、商品对比、购物车、下单、评价数据都被天猫全程记录,同时用户的个人资料,例如性别、地域、年龄、职业、消费水平、偏好也被记录。天猫通过对用户的这些资料进行分析,得出企业需要的数据。交叉分析、定点分析、抽样分析、群体分析……数据智能的挖掘与落地都得益于这些手段。

除了依托互联网起家的电商企业之外,大量的实体制造企业也都纷纷效仿C2B模式,一边在内部进行新的变革,一边向传统市场挑战,颠覆了行业的传统规范。在前端,企业可以把产品以相对标准化的模块形式提供给消费者,让其自由组合,或者直接让消费者参与到产品的设计、生产过程中来。在企业内部，提升组织和管理能力，充分了解消费者的个性化需求。在后端，企业积极调整供应链，提高柔性化生产和服务能力。C2B模式俨然已经成为DT时代的核心商业模式。

天猫试水家电行业，可以说是阿里的一次练兵。未来，这种基于数据智能的C2B模式将会扩展到各个行业，服装、3C（计算机、通信和消费类电子产品的结合）、家居甚至一些长尾品类，都会加入大数据C2B定制模式中来。比如，上汽大通就是其中之一。2017年，上汽大通新推出私人定制D90车型的SUV（运动型多用途汽车），可谓赚了个盆满钵满。

在战略伙伴阿里的支持下，这次活动从设计到定价共有66万用户参与。无论是颜色、座椅还是驱动形式，共有58类可以供消费自由选择的定制方案；根据不同的方案，更是有1万多种价格梯度来满足不同阶层的消费者，而这些都可以在一个小小的App上完成。这样的活动自然受到了广大汽车爱好者的青睐，2017年12月，上汽大通接到的订单就超过了1万份。

其实，将C2B与传统商业进行了如此多的对比，并不是对传统商业模式的贬低，而是为了突出C2B模式的重要性。未来智能商业的核心模式一定是C2B，谁能够把握这一趋势，谁就能成为未来的商界领袖。

客户驱动:
C2B模式的逻辑起点

在传统商业时代,"用户第一"是一种价值观,更是企业孜孜以求的前进方向和目标。但显而易见的是,要想真正做到时时、事事、处处以用户需求为基本出发点,便意味着巨大的成本。这也是高端定制在传统商业时代十分吃香的原因所在:高成本的定制化产品,只能服务于极少数的高端细分客户。

但是在智能商业时代,"客户驱动,用户第一"已经成为企业运营的起点和基础。这个新起点会从根本上将传统工业时代B2C的运作模式转换成客户驱动的C2B模式。在商业链条上一个环节接一个环节地倒逼企业,形成波浪式的传导,并最终形成整个社会的商业大变革。之所以会产生这种变革,很大一部分原因在于互联网和数据智能技术的飞速发展,我将其分为以下三大方面。

商家和客户能够实时互动

通过互联网的联结,可以实现企业和客户之间高效率、低成本的海量连接和互动。这意味着你不管从事哪种行业,不管你面对的客户体量有多么庞大,你都可以和他们进行实时的沟通与交流。与之形成鲜明对比的是,在传统工业时代,你甚至连客户是谁都不知道，更遑论用户体验和互动。

对于企业而言，最关键的第一步变化就是看你有没有与客户之间建立持续的互动关系。在传统的 B2C 模式中，企业与客户是单次的接触，在产品的销售环节结束之后，企业和客户之间就不再有任何关系。但是在商业智能时代里，产品销售结束之后才是服务真正的开始，才是你的商业模式真正能够创造价值的时候。

因此，企业只有和客户建立起一种长期动态的互动关系，才有可能得到快速的反馈，才能够不断提高你的服务能力和产品竞争力。企业需要全神贯注地服务好客户，因为客户的转移成本比以前要低得多。

不同的互联网企业可能会有不同的风格，比如，业界普遍认为腾讯产品经理的能力很强，也有很多人赞叹淘宝的运营能力很强。其实这两家公司强大的源头，都在于它们建立了与客户持续的实时互动，然后通过产品和运营来不断优化自己的服务，让客户有更高的黏性。

无论你是以产品还是以运营为中心，它背后的逻辑都是客户驱动，都是与客户持续的互动关系。这才是 C2B 商业模式的逻辑起点。

数据等于意见

在互联网时代，用户行为是可以数据化的，用户在使用产品过程中所产生的所有行为痕迹都会被一一记录下来，形成可供查阅的数据信息，这等于直接将他的需求以及感受告诉了你。

打个比方，用户在搜索引擎的结果页点了哪一条，就相当于直接通知搜索引擎按相关性排序的结果够不够好，对用户来说是否有效。淘宝为用户推荐了如此多的商品，用户点击了哪个商品进去看详情，也就直接给了淘宝推荐引擎一个反馈：用户究竟是否满意，接下来需要如何改进。

再让我们看看尚品宅配。这家企业诞生于 2004 年，它的前身叫作圆方软件。尚品宅配作为一家专攻定制家具的企业，也许是因为创始人李连柱最开始经营的就是互联网公司，所以他和他的伙伴深知数据收集的重要性。

尚品宅配为了符合用户的需求，前后共收集了无数楼盘、房型的资料，并建立了属于自己的"房型库"，随后更是延伸出了独具特色的"产品库"，坐拥万千用户。这样的成绩也使它在 2017 年 3 月 7 日成功上市。

其实，尚品宅配的成功除了最重要的 C2C 的发展方向，还少不了圆方软件的大数据、云计算等技术的支持。与传统的家具企业相比，尚品宅配充分利用了自身的互联网技术和数据优势，将过去的先设计、生产出家具，再推向市场雇用大量的人员进行推销的 B2C 商业模式，转变为了先通过互联网技术收集数据，然后根据用户反馈进行定制，最后进行生产、运输、组装等一系列工作的 C2B 商业模式。想要获得像尚品宅配一般的成功，你需要的也许仅仅是一次思维的转换和技术的延伸。

产品的快速迭代

机器学习具有自我优化的能力，这意味着用户在表达其需求之后，你可以实时持续地对产品和服务做出相应的优化，数据智能的引擎会在云端不断地发挥作用。需要注意的是，要想实现这一点，需要在你的产品中加入互联网产品这一有机组成部分。

传统意义上的产品，往往指的是一件在物理上完成的物品。当这件物品卖出之后，你与客户的关系便告一段落。虽然还有所谓的售后服务，但那只是一个基于物理产品衍生出来的概念而已，企业需要做的只是把物理产品售出。

时至今日，产品的地位已大大增强，越来越多的互联网公司在大力强调产品的作用，因为这是它们与海量客户互动的唯一方法。只有不断地打磨产品，才能提高自己与客户互动的效率，这就是产品在互联网企业中非常重要的原因所在。

在未来的智能企业中，无论你提供的是实体产品还是某种服务，你都需要一个互联网产品作为其中的重要组成部分。这个互联网产品提供了你与客户产生联结、持续互动的界面。只有通过这个界面和客户发生互动，才能真实地了解他们的需求和反馈，有的放矢地迭代优化你的产品和服务。

转变思维，将C2B落到实处

不得不说，如今是一个属于消费者的时代。互联网的兴起，使得人们在消费上有了越来越多的选择，在这样的趋势下，用户的地位自然得到了大幅度提升。想要在众多的竞争对手中脱颖而出，让用户在浩瀚如海的广告和信息中注意到你，就一定要最大限度地满足用户的需求，了解用户的真实反馈。

B2C到C2B的变化，其实就是一种思维模式的转变，也就是消费者从被动变成了主动，从产品的被动接受者变成了产品的直接决定者。一家公司想要向C2B的方向发展，首先就要转变旧有观念，做到"用户体验至上"。剩下的则是要依靠现代化的数据智能，将C2B商业模式真正落到实处。具体说来，可以分为以下三大方法。

收集数据

想要做好C2B模式，最为重要的一点就是快速、有效地收集用户的需求信息，以搜索框、网红、客服为主导，连接C端和B端，将收集到的C端需求反馈给B端企业，企业将其作为经营决策的重要依据。互联网和数据智能的进步，不仅推动了C2B模式的发展，同时也让这个过程完成得更迅速、更简单。

07

C2B：未来的核心商业模式

在以用户需求为最高标准的C2B模式中，能否快速有效地收集C端的要求，同时反馈到B端，是今后考量一家企业运营能力的一大标准，也是决定C2B模式能否顺利实施的关键环节。因为只有C端的需求信息能够有效地被收集、分析和反馈，B端才能开发设计、生产出用户想要的产品，这些数据的收集也可以通过网络社交平台来实现。

如今，微信已经成为人们日常生活中不可或缺的通信工具之一。据统计，微信已经覆盖了国内90%以上的智能手机，截至2017年12月，微信每月活跃用户已经接近10亿，覆盖全世界近200个国家。其中，有一半的活跃用户拥有超过100位的微信好友，绝大部分用户都通过微信认识了新的朋友，或者联系上了多年未联系的老朋友。如此庞大的用户群体、如此宽广的覆盖面，奠定了微信超级强大的社交功能。消费者在微信平台上发布自己的需求，分享自己的心得，这些信息可以在极短的时间内传递到其他用户或商家企业那里。同时，不妨换个角度想想，商家和企业是否也能够通过微信平台上消费者的反馈，收集到C端潜在的真实需求？答案无疑是肯定的。

在收集消费者的消费需求时，除了利用社交网络平台或者工具，商家还可以自行建造平台，直接收集消费者的潜在需求，为自己未来的产品生产提供依据；或者通过购买服务的方式，由专业的网络服务平台帮助自己收集用户的需求，例如各种类型的共享、威客平台都在迅速崛起，未来将会成为C2B商潮的一个新的创新点。

吸引数据，引领潮流

传统电商模式是依靠流量促进销量，而C2B模式则是让购买变成了一种"社区行为"。消费者的消费决策，受社区领袖（网红）的影响要大于广告，人们更愿意相信身边草根红人所做的推荐。电商只要能够做好社会化营销就可以提高转化率，更容易通过口碑的传播建立自己的品牌形象，形成相对稳定的用户群体。因此，以口碑传播为基础的社交型电商是未来一个很重要的发展方向。

得"粉丝"者得天下，"网红效应"其实可以看作是"粉丝效应"的升级版。移动互联网时代最大的优势就是信息化，信息量、信息传播的速度、信息处理的能力都呈现出几何级数的倍增，而且每个人都与信息相连，成为信息的一部分。例如我们通过手机等移动终端来获取新闻资讯，再通过朋友圈或微博这些途径进行分享和传播，这时我们也就成为信息的一部分。

这种特征让人类社会的各种关系和结构也发生了深刻的改变。在以往的商业时代里，人和信息是二元化的，渠道是信息的载体，经商者讲究渠道为王，掌控信息传播渠道是营销的第一步。而如今，你会发现渠道已经呈现出碎片化态势，越来越难以掌控。既然你无法垄断渠道，只能去吸引每一个人，就让其成为你的"粉丝"。从这个角度来说，人成了信息的一部分，你会潜移默化地受到他们的影响，从你的电话好友、QQ好友、微博好友、微信好友那里获取信息和推荐。

网红吸引的就是那些与自己志趣相投的"粉丝"，而"粉丝"

一旦认可网红商品，就会自发地和朋友分享、传播。这就是网红经济产生并且迅速发展的根本原因。

如果现在还有人不知道傅园慧这个名字的话，那么我只能说他真的"OUT"（落伍、出局）了。不过如果提起她那句经典的"我已经使出洪荒之力了"，和那些被网友疯狂刷屏的表情包，相信就不会有人对她陌生了。

在 2016 年 8 月 9 日的里约奥运会上，傅园慧夺得了女子 100 米仰泳的铜牌，但让她走红的却不是她的成绩和荣耀，而是在赛后采访时，这个 90 后女孩儿用她夸张的表情、率真的性格和质朴的语言，成功俘虏了所有观众的心。一时间，这段采访视频被网友疯狂转发，就连她在被采访时的夸张表情也被网友制作成了表情包，成为人们表达自己情绪的符号。

如今，傅园慧的新浪微博"粉丝"数已经超过 700 万，随之而来的自然是无数的代言和广告。可想而知拥有如此多关注度和支持者的她，可以带来多么可观的经济效应。

根据需求打造个性化产品

在移动互联网时代，90 后甚至 00 后的年轻人成为真正的消费主体。这一年轻的消费群体一出生便接触到缤纷多彩的互联网世界，他们的个性中充满了对传统和固定模式的反抗，他们习惯于标新立异，喜欢与众不同，更崇尚自我个性的表达和张扬。他们不喜欢和其他人有着一样的服装和造型，不喜欢所有程式化的东西。

这样的个性特点表现在消费观念方面，就是对商品个性化的要求。很多时候，这些消费者对商品的需求不再局限于功能方面，更多的是追求一种身份和自我价值的体现，希望通过拥有某一种商品，体现出自己与众不同的个性。追求个性、追求与众不同，对于他们来说已经成为一种时尚的消费观念。

通过产品的个性化定制，消费者获得了被满足的快感。这种被满足的快感，一方面来自企业或者商家按照消费者自己的需求来生产或提供商品，让消费者得到了一种身份和价值感被提升的满足；另一方面，企业按照自己的需求定制产品，消费者能够参与其中，这样的参与感容易让消费者对产品产生认同，甚至对企业本身都会有一种归属感。

比如，如今很多电子产品的厂商都在产品背面提供刻字的服务，同时也可以让消费者自主选择款式和颜色。这样的定制给用户带来的是个性化需求的满足，让用户体会到自己产品的与众不同。当然，这些仅仅是某一个模块的定制，还不能让产品本身发生太多实质性的变化。对于某一商品来说，从外观、功能、包装到销售的整个过程，都可以实现个性化的定制。但是，即便仅仅是手机外壳的款式和颜色是按照自己的需求来生产的，对于消费者来说，就已经足够显示他的个性，彰显出他的与众不同之处了。而且，让企业或商家按照自己的要求生产和提供产品，对消费者来说，还能感受到一种身份和自身价值被提升的满足感。

当然，如今商品的个性化定制还远远没有实现所有领域的覆盖。个性化定制主要还是集中在服装服饰、电子产品、家居等领域，而且在很多领域中，还没有达到完全意义上的定制，大多还只是停留在一些功能比较简单的模块的改变上。但是，随着消费者个性意识的逐渐增强，以及科技的快速进步，个性化定制必将向着更深的层面发展。一旦商品能够实现深度定制，消费者将可以通过商品定制，让自己的个性得到更进一步的显现。

总之，移动互联网时代的消费模式，已经在根本上改变了供需关系，生产者和生产者的地位发生了翻天覆地的改变。商业模式也从先生产、再销售，转变成了根据需求进行生产。消费者逐渐掌握了更多的主动权，有了自己决定产品的能力，从而更加激起他们内心深处更深层次的需求意识的觉醒，在更加细化的领域中，满足更加自我的需求。商家想要生存就必须重视消费者的需求，生产出符合消费者需求的产品。C2B模式对于用户和商家来说是一种互利互惠的商业模式，谁找到了这个方向，做到了这个模式，谁就找到了在这个时代成功的秘诀。

08

S2B：通往C2B模式的自然演化路径

无论是商家，还是普通消费者，每个人都对未来的C2B商业模式充满了期待与憧憬。在那样的一个时代里，每个消费者都可以创造一切自己想要的商品，享受一切合理的服务。目前由于技术的限制，全面、理想化的C2B还无法立刻取代现有的众多商业模式。在这个过渡时期，随着商业的不断发展和进步，自然而然也就衍生出一个新的过渡型模式——S2B。

S2b2c 的模式创新

第 7 章提到，C2B 模式是对传统工业时代 B2C 模式最根本的颠覆。B2C 和 C2B 不是一个简单的顺序颠倒，实际上是整个商业逻辑的改变，是从传统的供应链走向网络协同的基本模式的变化，甚至可以说是一个商业范式的革命。比较完整的 C2B 已经在某些行业，如服装和家具行业，取得了一定的进展，暂时不会大规模地应用。2017 年，我观察到一个新的商业模式正在快速兴起，我把它称为 S2b2c，其实也可以称为 c2b2S，S 指供应平台。虽然这个模式在精神上和 C2B 一致，但它有一个重要的差别，即 c 不是通过一个大 B 直接服务的，而是通过很多个小 b，小 b 再利用 S 的供应平台完成服务的。

S2b2c 是 C2B 模式的一个变形，因为整个服务是通过小 b 和 c（客户）的紧密互动而驱动的。只是这个互动不一定完全在网上完成，同时，小 b 离开 S 的支持也无法独立完成对客户的服务。其实，S2b2c 是传统供应链模式的升级。S 是一个重构了大的供应平台，需要大幅提升供应端的效率。b 指的是一个大平台接入的万级甚至更高级别的小 b，帮助它们完成针对客户的服务。小 b 的核心价值是完成对客户实时的低成本互动。S 和小 b 之间是赋能关系，并不是传统的加盟关系。传统的加盟还是工业时代的逻辑，核心是标准化流程和严格的质量管控。这与 S2b2c 是完全不同的理念。我们讲的这些小 b 是生长在供应平台上的新物种，这个平台要保证质量，要保证流程的高效，最重要的是让小 b 自主地发挥它们最擅长的触达和服务客户的能力。于是，这种模式可能最适合提供复杂和多元化的服务，例如家装或者教育。

虽然我到今天还没有看到一个完整的 S2b2c 案例，但是看到了不少正在高速成长的 S2b2c 雏形，比如装修领域的土巴兔。早期，土巴兔更多的是装修公司的流量入口。后来，它尝试了自营的装修业务，发现规模化扩张是一个几乎难以逾越的障碍。2017 年，它开始调整为 S2b2c 模式，和装修公司建立多维度、多形式的合作关系，共同服务好消费者。目前，土巴兔发展良好。此外，"大家中医"向中医提供的互联网工作室和各种增值服务大幅提高了传统中医的工作效率。"大搜车"通过赋能众多的二手车经销商，不仅提高了它们的运营效率，更重要的是提供了更好的客户服务。甚至传统的批发市场，比如杭州的四季青也在快速升级。传统的批发档口变成了一个草根版的时尚发布平台。它们只有两周的卖货时间，它们支持的前端小 b 就是大大小小的网红。大部分的小网红缺乏设计和产品能力，依赖类似于四季青这样的供给平台支持自己在商品方面的需求。网红的工作就是跟客户实时互动，挖掘需求，甚至通过商品的预发布来让客户参与产品设计。网红（小 b）推动品牌在线化，四季青帮助供应中后台平台化（S），这两股力量的有机结合会进一步对传统服装供应链带来更大的竞争压力。

S和小b的新型合作

S2b2c 模式最大的创新，是 S 和小 b 共同服务 c。所以，S2b2c 的模式要成立，前提条件是它创造的价值必须比单独的小 b 或大 B 直接服务 c 的价值要大得多。当然，在互联网时代，这个"共同服务"有两层含义。

第一，当小 b 服务 c 时，必须调用 S 提供的某种服务：S 不能仅仅提供某种 SaaS（软件即服务）化工具，它必须基于对上游供应链的整合，提供某些增值服务，才能帮助 b 更好地服务 c。典型的小 b，例如小电商网红，由于规模和品牌的限制基本上都得不到好的供应链支持，所以如果有整合了前端供应链的S，它就能对小 b 形成很大的支持，这个支持的核心其实就是供应链管理能力的输出。还有，大部分的数据智能产品对小 b 很有价值，但基本上只有 S 才能提供，因为目前专业的门槛和投入都还很高。

第二，对于 S 来说，小 b 服务 c 的过程对它必须是透明的，也就是S能参与并且能给予实时反馈，来提升S对小 b 的服务。要实现这一点，首先，小b服务c的过程要实现在线化；其次，S 和小 b 要通过在线化、软件化，实现自动协同，更好地服务 c。举个例子，如果S给微商供货，但完全没有参与微商服务 c 的过程，那么S就不能提供更大的价值，这就谈不上S2b2c。在线化和网络协同怎么做，本书其他章节已经反复强调，这里就不展开了。

同时，和传统的互联网模式不一样，这些做 S 的大平台很可能不再是流量入口，因为它不承诺给小 b 提供流量，保证小 b 的生存。小 b 要自己去找流量。实际上，任何小 b 都有自己的圈子，可以影响一批人。怎样让这些小 b 充分利用自带的流量，充分发挥自主能力，是未来一个很大的创新领域。甚至对于 S 平台来说，能否找到自带流量的小 b 来合作是平台成功启动的关键。S2b2c 必须比"小 b2c"在效率上有很大的提升。这个超越，核心就是 S 对 小 b 的赋能。关于如何赋能，下一节会详细展开，但是有一点是明确的，其核心是某种供应链的整合能力。小 b 的天然能力在于与 c 的关系，但因为标准化的能力不足（包括供应链、营销和品牌），它们无法期待大规模获客，只能深耕与用户的关系，手段无非是差异化、个性化的产品，以及与用户的深度互动，所以很多小 b 与用户有情感连接，有类似社群的关系。比如，淘宝上的小而美卖家会不厌其烦地在旺旺上回答用户的各类奇葩问题，让用户感觉它们像朋友一样替用户着想。其实，品牌店的客服再用心，也是某种套路式的礼貌。在当下，小 b 在竞争中基本处于劣势，原因主要是供应链能力不足。现在已经有很多的 B2B 服务商，它们为什么没能让小 b 在与大 B 的竞争中整体居于更有利的地位？原因在于原有的 B2B 服务是破碎、割裂、各管一段、低水准竞争，比如，有做原材料采购的，有做 ERP 的，有做设计的，它们彼此互不相干，只求解决小 b 具体提出的需求点。

　　同样，S2b2c 的模式要成立，前提当然是要比传统的B2C模式提供高得多的价值，核心是小b能否提供足够差异化的产品和服务。在工业时代，大B统一品牌，统一服务，统一标准，所以，无论是采取内部管理、直营的方式，还是通过加盟的方式输出标准化的服务和产品来服务C，这都是标准的B2C模式。当"大B2C"发展得很好的时候，"小b2C"的空间是不大的，因为它没有品牌优势，没有能力，只能在很小的细分领域或者很小的小众市场才能有生存的机会。所以S2b2c 在整体效能上要超过"大B2C"才有创造价值的空间，才能够形成一种爆发式增长。这就要求充分发挥小b的能动性。如果在非常标准化的领域，小b不能通过自己的服务创造差异化的价值，那么这个模式就不成立了。

　　赋能小b的核心除了在中后台的云上形成强大的能力之外，可能也要帮助小b在实时互动客户方面提供一些场景化的支持，以此降低它们的成本，其中最有可能的是某种智能硬件。物流行业正在推广自提柜，下一步自动贩卖机会不会变成一个100米范围内触达的迷你超市，送货的会不会是无人驾驶的小车？如果把IoT跟智能硬件的优势用到场景化互动方面，完成一次"云+端"的重构，有点儿像"苹果手机+App"的大爆炸，这是一个非常让人期待的未来。

　　S和小b的关系不是传统的加盟店关系。首先，从根本上来说，加盟提供的是一致体验，由标准化的产品和服务、统一的供应链系统保证一致体验，核心价值由品牌承载，加盟店不拥有品牌，它们的个性化和创意被加盟合同严格地限制在极狭小的范围，比如星巴克。之所以严格限制个性化，原因非常简单：监管的成本太高，总店只能让加盟商标准化行事。所以，加盟商不是独立行事的小 b，而是附庸。其次，c 是因品牌而来，而不是因加盟商的个性化特质而来。而 S2b2c 中的小 b 是有独立意志和行事自由的个体，提供的是差异化的产品和服务，c 因它们的个体特质而来，即流量属于小 b，而非 S。S 只能赋能小 b，而不能控制它，所以，两者关系的核心是协同，而不是管理。

提出 S2b2c 模式的一个重要原因是，虽然可能有越来越多的人在理念上认同互联网发展带来的商业模式的创新方向，但是绝大部分的大 B 很难把自己建成"大中台、小前端"这样更先进的组织方式。也就是说，"大 B2C"虽然有很多对自己运营模式和组织形式的优化，但是它们很难在根本上完成自己的业务升级、内部组织的重构和原有管理逻辑的根本改变。所以绝大部分的现有"大 B2C"很难直接升级到 S2b2c，这就给了创新者一个切入市场的机会。补充一句，S2b2c 的 c 是指客户（customer），而不是特指消费者（consumer）。所以这是一个很复杂的链路产业，S2b2c 可能需要分段实现。

赋能的五个方面

S2b2c 模式最核心的是 S 和小 b 要共同服务 c。小 b 服务 c 离不开 S 平台提供的种种支持，但是 S 也需要通过小 b 来服务 c。S 和众多的小 b 是紧密的合作关系，而不是传统 B2B 的简单商务关系，或者

B2C的管理关系。S2b2c是一个创新的商业模式，这个模式比传统的B2B或者B2C模式要复杂。由于互联网技术的进步，这样一种比以前更复杂的模式有了实际运转的可能性。更重要的是，这个模式能够创造比传统模式大得多的价值，这才是S2b2c模式的价值所在，也是它的未来所在。

再强调一遍，S2b2c模式最核心的是S和小b要共同服务c，创造更大的价值。也就是说，这个模式可以从两个关键维度来思考，如图8-1所示。横轴是小b对c服务的深度和价值，纵轴是S对小b赋能的广度和价值。这两个轴越往外，这个模式创造的价值越大。但是，这两个方向同时发展是一个巨大的挑战。

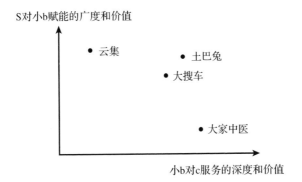

图 8-1　S2b2c 模式的价值创造

先看纵轴，S对小b的赋能到底体现在哪几个方面？这个问题是模式的关键，我也经常被人问到。图8-2提供的框架可以帮助大家思考。

图8-2　S对小b的赋能

SaaS化工具

S对小b赋能最直接的第一步就是提供SaaS化的工具，无论是"大家中医"给医生提供的在线工作室，还是"大搜车"给行业内的经销商提供的各种SaaS工具，都是S2b2c起步非常有效的手段。对于小b来说，因为成本的考虑以及人才的匮乏，绝大部分的小b，其SaaS化的升级都是通过第三方服务商来实现的。所以SaaS化的工具服务，是这些S平台提供的第一个基本服务。

由于这两年"互联网+"的高速发展，传统行业的一个个环节都在试图在线化、互联网化，所以SaaS化的B2B服务蓬勃发展。我碰到不少SaaS服务商，自认为是S2b2c模式。但是如果仅仅停留在一个简单的SaaS化工具上，它们的价值是很有限的，不能被称为S2b2c模式。S2b2c模式至少必须完成下面提到的第二步的赋能。这一步，其实并不那么容易实现。

08
S2B：通往C2B模式的自然演化路径

资源的集中采购

S平台赋能小b的第二个重要方面，也是一个重要的价值点，就是提供小b共同需要的某些服务。因为小b缺乏对上游供应商的谈判能力，往往不能获得很好的资源支持，但是由于S完成了小b的在线化支持，所以它们可以实时准确地获取小b对某些公共服务的需求，帮助它们向上游供应商集成采购，获得更好的价格和服务。

"大搜车"在经过艰苦的努力完成行业SaaS近80%的高覆盖率后，完成了第二步飞跃。公司推出的"弹个车"创新服务，利用推出新车租赁销售的历史机遇（如把传统新车销售的使用权和所有权分开，让用户可以以很低的年付就拥有新车的使用权），从部分整车厂争取到了特定车型的销售权，再授权部分核心零售商客户销售。大部分零售商以前是根本没机会销售新车的。这些小b可以利用自己对客户的掌握和运作能力，通过这个S平台，获得以前没有的新车销售资源，也可以使自己的服务有一个大的升级，获取更大的价值。在这个意义上，传统意义上很多非常松散的小b都成了"大搜车"这个大平台上的重要合作伙伴，它们的关系已经不再是简单的软件服务商和使用者的关系，它们的合作关系大大加强了，创造了新的价值，"S+小b"整体也得到了质的飞跃和提升。同时，整车厂也大大提高了自己的覆盖率。

提供这样的共享资源是S对小b的重要增值服务。又例如，由于医生在"大家中医"平台上在线开处方，这些处方可以直接传给S平台对接的中药厂家，提供物美价廉且快捷便利的煎药或送药服务。"大家中医"提高了小b针对药房的谈判能力，也大大提升了患者的体验。

共同的品质保证

赋能的第三个方面是S2b2c这个创新模式带来的新的挑战，也是S2b2c模式和传统的连锁经营，或者特许加盟不一样的地方。因为连锁和特许加盟用的都是品牌商的品牌，是一个标准的B2C模式。品牌商通过内部管理，实现服务的标准化，保证连锁店或者加盟店也能达到同样的服务品质。但是在S2b2c的模式下，S这个平台必须借助于小b的独立性、创造性和服务能力，那么小b提供的服务就必然不是完全标准化的，小b在S提供的标准化产品和服务的基础之上，要有再创造和再发挥的空间和能力，这样小b和S的合作伙伴关系才有价值。这就带来一个非常有挑战性的新问题：S要不要对小b不同的所谓服务质量进行评估监督，甚至对消费者做出承诺？

这是我们接触到的S2b2c的创新企业碰到的非常大的一个新挑战。由于这种模式创新还在早期，每个人的选择都不一样，将来的演变也会不一样。但是有一个基本原则，就是在某种意义上，S和小b是共创的合作关系，所以很有可能，S最终要对c有一定的品牌露出，很有可能是一个双品牌战略，既有S的品牌，也有小b的品牌。

值得强调的一点是，因为S2b2c模式是一个互联网模式，"小b2c"服务的过程实际上是在线化完成的，所以服务过程对平台是透明的。就像淘宝掌握了淘宝卖家的基本运营数据后，就可以通过消费者的参与和种种手段对卖家进行"星冠钻"评级。所以，S方可以参与某种性质的2c的品质担保，只是在不同的场景下，小b的作用会不一样，最终它的演化方式会不一样。在这一点上，S和小b既有合作关系，也有竞争关系。

网络协同

赋能的第四个方向是S平台实现的网络协同的丰富度，也就是S协同了多少上游的服务商。因为S2b2c的模式本质上是网络协同，通过互联网的方式让更多元的角色可以参与，共同服务海量的c。所以S的价值来源是看自身实现了多大程度、多少个不同平台的协同。它协同的服务越多，网络效应就越大，自身价值就越高。"云集"在这一点上的创新比较突出（见图8-3）。S是"云集"整合的一张大服务网络，包含"六朵云"，进行精选式采购（面向升级消费需求，买手精选3000多种品牌商品，对品质做到更为严苛的掌控）和平台化支持（平台集成多种零售服务资源，如仓储配送、客服、内容、培训、IT系统等，提供全方位的商业支持，降低店主参与网上零售的门槛）。通过这六朵云的支持，赋能小b（个人店主），个人店主利用社交工具（如微信群）传播商品信息并进行售前和售后服务。可以说，小b部分代替了传统广告媒介和渠道，以信任背书，服务于c（消费者）。

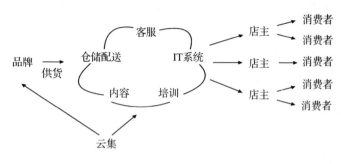

图8-3 云集服务网络

　　这种模式大大降低了参与零售的门槛，把传统由专职人员进行的商品推介工作社会化、兼职化。实际上，这创造了新的小b的角色。愿意在微信上分享的个人成为"云集"的营销终端，直接对c服务。这些小b充分利用了个体的影响力，也利用了微信的社交网络和流量红利，数量巨大的小b迅速带动了"云集"的销售。但是，到目前为止，这个平台上大部分小b对c提供的服务本身还是非常浅的。小b很依赖S平台提供的产品和服务的巨大优势来完成销售。所以在图8-1中，"云集"S赋能的价值（纵轴）比较高，但小b直接服务的深度相对较低（横轴）。这是一个比较典型的S2b2c案例，"云集"平台上的店主已经多达200万人。"云集"微店每月的销售额从刚起步的几十万元达到了七八亿元。

数据智能

　　赋能的第五个层面来自数据智能。S2b2c作为一个新物种，作为一个重大的商业模式创新，肯定要充分运用好数据智能。在这一点上，S有相当大的天然优势，因为起步就是一个在线的服务模式，小b服务于c，它的数据是可以沉淀并积累下来的。通过这个过程，S利用自身的资源优势、人才优势、投入优势，有可能给小b提供数据智能的决策支持。例如，"大家中医"已经开始积累和尝试，由于中医的诊断病例完全在线化，患者的各项数据都存储在平台上，每个中医在诊断过程中，可以跟后台的一个人工智能引擎共同演化，互相帮助。我们可以看到，这里存在一个很大的数据智能增值空间。

图8-2显示的五个赋能方向，不一定是按这个顺序发生的，有可能同时发生，只是越往上，价值潜力越大。目前，我们接触的绝大部分案例还在第一和第二个层面，即使是"云集"，虽然有整合供应链的平台化服务，但目前它的S平台也只是整合了现有的社会化服务（这些服务在很大程度上是由淘宝电商生态圈孵化的），还没有实现自己的网络化协同。这些也反映出S2b2c的模式还在创新的早期，还有很大的创新空间。

再看横轴，即小b对c服务的深度和价值。S2b2c模式的一个非常典型的情况是这个行业传统上有比较大的B2C来提供服务，大的B2C有相当大的品牌优势和服务优势。一个典型的案例是"大搜车"，其所在的汽车销售行业，特别是新车销售，对于传统的4S店来说，连锁品牌所拥有的品牌和服务能力相对来说比较重要。在这样的领域，传统小b是很弱小的，需要S的赋能才能在行业中发展壮大。

另一个典型的场景是这个行业原本就是以小b直接服务c为主，

行业基本上没有大的B2C玩家，非常松散。S平台的出现是利用新技术的一个大创新。一个典型的案例是"大家中医"，"大家中医"所在的行业是中医，在传统上就是中医直接对自己的患者提供服务，基本上不用依赖其他太多外围的服务。"大家中医"首先利用互联网给中医提供了一个网络工作室，这个工作室为了更好地服务患者，为他们提供了各种互联网工具，例如病历记录、开药方、取药，以及给医生提供的传统文献的结构化整理。"大家中医"依然非常依赖小b对c的直接服务。公司的价值更多地体现在S对小b的赋能上，即提供了哪些服务、创造了哪些价值，服务越多、越创新、越稀缺，它提供的价值就越大。很多行业，例如美容、装修等都有这个特征。在传统上，小b影响力就比较大，如果S不能对小b进行足够的赋能，小b就无法存在。

总结一下。再回到图8–1，S对小b赋能的力度越大，S的价值越大；同时，如果小b对c提供的服务有价值，"S+小b"对c的价值就比传统的B2C的价值大，这个模式的创新价值更大。所以，对于"云集"这类企业，下一步创新的一个可能的大方向就是大大加强小b对c的服务能力和附加值。对于"大家中医"这类企业，在S对小b的赋能上有更大的突破空间，例如，利用人工智能辅助诊疗就是一个努力的方向。

S2b2c的意义在于它是智能商业时代第一个突破性的创新商业模式，有可能同时实现网络协同和数据智能，具有巨大的发展潜力。S2b2c模式，一方面，进一步开始以c为核心，因为小b需要实现和c的实时互动来显示自己的价值；另一方面，通过S平台的不断发展，实际上把原来线性供应链中的不同环节重构，形成了一个上游的协同网络，所以在这个基础上就有可能演化出下一步更加创新的C2B模式。当然，对于很多复杂的服务，小b的价值长期存在，因而S2b2c很可能是一个长期有价值的模式。同时，由于小b和c的互动会逐步在线化，S2b2c也会逐步以客户为中心，最终走向c2b2S。

第三部分

战略变革

我们今天看到的一切，都是一个新时代的开始，也是一次人类社会从农业文明到工业文明再到智能时代的伟大征程。面对不一样的时代背景和不一样的消费者，企业的战略自然也应随之改变。在这场全新的竞赛中，谁能够率先成功变革，谁就能够抢占先机，获得前所未有的先发优势。

09

新战略：高效反馈闭环

所有的企业都希望能够对未来的市场进行准确的判断，从而开展行动。虽然对未来的正确预判比任何资源都宝贵，但是如今已经很少有人能够前瞻十几年之后可能发生的事情。在这样的环境下，企业不能故步自封，应该更快速地行动。即使行动失败了，如果能够换取对未来更清晰的预判，比别人快上半步，你就能够在未来的世界中抢占先机。

看十年，做一年

智能商业时代的战略和传统的战略的不同之处，最重要的就是，智能商业时代的战略不再有所谓的长期战略规划。由于环境变化太快，传统的 5 年、10 年的详细战略规划不再有效。环境越快速多变，针对未来的长期思考越重要。基于这种长期思考，形成对未来变化的某种判断，就是我们常说的远见（vision）。远见显示了你对未来最有可能发生的产业终局的一种判断，这个判断是你的一个假设，这个假设要不断地被实践验证和挑战，然后被不断纠正。这个实践就是快速行动（action）。这里的行动不是盲目行动，而是有纪律的实验（disciplined experiments），也就是说，这是在远见指导下的尝试，目的是看这个行动是不是有正确的方向。如果是，就要加大投入的力度；如果不是，就要放弃。这是一个持续实验的过程，远见越来越清晰，行动的方向越来越清楚，战略越来越明确，资源投入也越来越多。传统战略制定的过程变成了远见和行动的快速迭代，这是一个动态调整的过程。

这种新战略的核心的难点在于：一方面，远见一定要快速找到落地点，不能大而空，否则只是空想，无法落地；另一方面，不能盲目跟风，要能不断地总结思考，形成对未来的独特判断。这种"虚实结合"是很难的一种技能，需要长期训练，也需要团队配合。

既然是对未来的判断，就有不确定性。无论你如何收集信息、思考、推断，当你最后做决定时，总有一步叫基于信念的那一次跳跃（leap of faith），所以你最终的决定必然基于信念。马云在一次演讲中说的一句话后来变得很流行，即"因为相信，所以看见"。在很大程度上，是因为你相信了，你往那个方向努力了，它才一步步地变成现实。我曾经在曾鸣书院的公众号上专门写过一篇"远见最终是拿来证明的，不是拿来挑战的"的文章，这是因为我相信，所以最终才能做出来。所以，远见其实也是理性和感性的一个结合，理性的一面，你要不断地挑战自己，纠正自己的判断；感性的一面，你最终依靠的还是自己对自己信念的相信。这是一个非常重要的辩证思考。

为什么快速行动在这个时代变得很重要？因为你的确看不清楚未来到底是什么样的，唯一确认预判正确与否的方法就是去做。在做的过程中得到第一手反馈，这个反馈要完成两个目标：第一，帮助修正你的产业终局判断；第二，帮助修正你下一步的行动。这就是远见和行动形成的快速反馈闭环。用远见来指导下一步的行动，这个行动不是盲目行动，它有假设，行动要形成结果以便修正远见。

2017年的曾鸣书院公开课为什么把新战略形象地称为"看十年，做一年"？因为"看十年"强调远见，需要看得足够远；强调"做一年"，是因为你整个行动的核心是落在一年甚至半年的时间框架下。基于未来的远见，今天是投射在哪一个点上，找准这个切入点才是你聚焦努力的方向。所以夸张一点儿讲，在这样一个大变革的时代，战略被短路了，原来我们熟悉的正规战略流程、长期规划被远见和行动的快速迭代取代了。这个快速反馈闭环的自然演化就是你的实际战略，不会再有三五年的详细战略规划了。这其实对大家提出了一个更高的要求，你要有长远思考的能力，同时也要有快速反应的能力。这两者有机结合，决定了你能走多远。

"看十年，做一年"。远见和行动的快速迭代是战略在这个时代新的表现形式。

阿里巴巴历史上最重要的一次战略会

当一个时代在进行剧烈变革和转型时，我们很难看清未来。越是这样，越要有一个相对长远的视角。上一节提到的"看十年"，就意味着要有远见，远见决定了你的眼光、格局、胸怀以及最终的潜力。所以，这是一个身处大变革时代的企业家所应具备的非常重要的核心能力。远见是怎么形成的？怎么培养相应的能力？这是大家很关心的问题。接下来，我想通过分享一个案例，帮助大家理解这些问题。

我从 2003 年担任阿里巴巴战略顾问以后，每年会开两三次战略会。2006 年加入阿里后，年度战略会更是我的工作重点。2007 年9 月 28 日至 30 日，在宁波召开的阿里巴巴战略会可能是阿里巴巴历史上最重要的一次战略会。

首先，当时集团的状况并不太好。今天阿里巴巴的发展势如破竹，但是在 2007 年 9 月，公司的市值也就是 100 亿美元左右。当时，淘宝在急速扩张之后，"下一步往哪儿走"的问题内部有非常激烈的争论。淘宝总裁一口气引进了 6 位副总，每个人对公司未来下一步该怎么发展都有很不一样的见解；在集团层面，大家也没有共识。

其次，淘宝和支付宝经常发生摩擦，核心原因就是支付宝到底应该是淘宝的一个职能还是应该独立向外发展。我记得很清楚，我到阿里巴巴工作的头半年，大部分时间都在协调淘宝和支付宝的矛盾：到底是淘宝该支持支付宝向外扩张，还是支付宝应该好好服务淘宝的各种需求。更不用说雅虎中国，经过两年左右的努力，没有看到任何起色。我们当时最重要的一个创新——阿里软件——也没有看到方向。当时，整个集团的状况其实相当迷茫。

那次会议，我们给自己定了一个目标：希望能够探讨一下未来十年阿里巴巴到底该往哪个方向去，应该有一个什么样的战略。阿里巴巴平时开战略会都是在西湖附近，但那次，为了表达我们对未来的向往，马云说我们到海边去开会，看看大海，大家会有一个更开阔的视野。那时，秘书可能对宁波不太熟悉，订了一个五星级酒店，把我们关在总统套房里开会，我们发现连海在哪儿都不知道。所以就会议环境来说，应该那是最糟糕的一次，因为连地也够不着，很不接地气。大家被关在一个密闭的房间里吵得不可开交，非常艰难。但是，会上发生了一些神奇的事情，我到今天都没有太理解，

09

因为我们的确确定了一个未来十年的战略。讨论到最后我们突然总结出一句话，这就是阿里巴巴未来十年的战略，"建设一个开放、协同、繁荣的电子商务生态系统"。

当时提到的很多词，比如"生态系统"，在今天都已经变成通用词语了；"开放""协同"大家也讲得非常多。但是在 2007 年 9 月那个场景下，这些还是很了不起的洞见。

可能跟做教授的背景的确有很大关系，我记得战略会开场，我就给大家讲后工业时代的基本经济规律和工业时代的基本经济规律会有什么不同，也讲到了大规模定制、社会化物流、个性化营销，从一些很抽象、针对未来的角度切入。对我来说也非常幸运，因为那一年管理雅虎中国，就必须把自己逼到互联网最前沿的战场——搜索，所以我对后来的云计算、搜索竞价、还有社区这些核心的技术理念、产品概念都有了一些直观了解。所以在会上，我这样一个完全不懂技术的人需要跟管理业务的总裁讲 API 是什么，这是一次很难得的体验。在这个过程中，我们的确认识到生态系统才是阿里巴巴未来真正的关键，所以到今天我们还是强调这句话。

直到 2016 年底，马云带着合伙人又开了三次会，最终提出了未来的新目标，即阿里巴巴要积极推动打造一个互联网经济体。当然，互联网经济体是电子商务生态系统的一个升级，这个思想是一脉相承的。

跟大家分享图 9-1，这是 2007 年战略会第二天晚上，我们折腾到半夜十一二点画出来的。在阿里巴巴的历史上，我们第一次觉得，如果实现了这个目标，我们有可能成为一家千亿美元的公司。"千亿美元"这个词第一次被我们感知到。这张图最核心的就是，我们要建设一个生态系统，而生态系统的第一个核心是客户，是数据，是最底层的信息流、资金流、物流，所以我们把贯穿所有子公司的数据业务打通，命名为整个集团未来的"奔月计划"。我们认为这是公司未来发展最重要的核心，也是生态系统的基本。正是因为提出了奔月计划，我们在会上明确了阿里巴巴一定要在一年内找到一个 CTO（首席技术官），能够带领公司完成奔月计划，在数据这个领域能够走向未来。后来，王坚博士加入阿里巴巴，开创了云计算的一段传奇，其源头就是这次战略会上我们对于这个数据战略意义的理解。

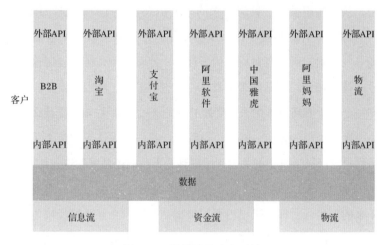

图 9-1　阿里巴巴生态系统

第二个核心就是开放 API。我们在这个会议上有过很多争论，最后没有达成共识的就是：在集团层面对外开放数据（这就意味着外面的人可以用我们的基础设施开发一个类似淘宝的平台来跟我们竞争），还是在淘宝这个层面对外开放 API（别人可以利用淘宝的基础设施建超市、百货公司和商店）。我们当时意识到，如果我们真正能够把数据打通，还能把对外开放 API 的链接做好，那么阿里巴巴应该会创造一个前所未有的经济奇迹——生态系统。这样一个生态系统应该会有千亿美元的可能性。

我举阿里巴巴这个例子是想说明，其实当你觉得看不清未来、公司业务陷入迷茫的时候，真正应该花时间琢磨一下未来，对未来形成一个判断，反而能把公司带向一个全新的格局。如果没有那次战略会，阿里巴巴肯定走不到今天。

大家可以看看图 9-1 中这 7 家公司：雅虎中国很快就出现了非常大的问题，后来改成"口碑"，2013 年关掉"口碑"，2015 年重新启动；阿里妈妈在 2008 年的淘宝战略会议上被强迫并入淘宝；阿里软件 2008 年随着总裁的离职被关掉，最后跟集团的搜索部门合并，成立了新的阿里巴巴云计算公司；我们在 2007 年的战略会上第一次提到物流，菜鸟网络的正式成立要到 2012 年。所以我们有大的战略方向，具体行动是在不断调整的，而且是一个持续的过程。因为你有方向，越调整就越靠近你向往的那个方向，战略也变得越来越清晰。

战略实验

当你看不清未来，又必须做决定的时候怎么办？对于非常关键的战略决策，可以考虑用战略实验的方法来保证跟上大趋势。

2011 年，阿里巴巴做了一件很夸张的事，商业史上都很少有这样的例子。那时，淘宝如日中天，2012 年就到了 1 万亿元的规模。那年，我们把淘宝拆成三家独立的子公司——淘宝、天猫和一淘，找了三个最厉害的领导者去带这三个团队。当时集团跟这三家公司讲得很清楚，让它们就照自己对未来的理解拼命地往前闯，即便相互竞争也没关系，目标就是把对手干掉。

为什么会有这么激烈的一个动作？为什么愿意耗费这么大的资源和组织成本来做这件事？原因其实很简单，2009—2011 年，我们公司争论了三年，大家对于未来的产业终局无法形成一个统一判断：未来到底是 B2C，还是淘宝这样的 C2C，抑或是一个搜索引擎指向无数小的 B2C。小的独立 B2C 其实是美国的格局，即电商的流量都是在谷歌上，谷歌把流量导给无数的小 B2C 网站。比如，亚马逊的流量其实并不太高，它只是一个买东西的地方，大家不会在上面进行购物搜索等。

我们在 2011 年的时候，其实无法确定中国会不会往美国的方向发展，由于无法就未来的判断达成共识，内部资源的分配就很困难，导致大家天天打架。这个问题怎么解决呢？最后马云下定决心，说我们也别争了，大家到市场上去试，看未来的趋势到底怎么样，游泳的过程中得到的真实感受才代表未来。所以我们就把这三家公司"扔"下去干。干了一年很快就清楚了，所谓的购物搜索这条路不存在，因为那个时候淘宝、天猫的基础设施已经非常强大，大部分人发现独立的 B2C 成本太高。在淘宝、天猫这个"面"上做生意，其实是把绝大部分的成本都分摊了，所以它们才能够快速、低成本的运营。由于没有独立B2C的存在，搜索的流量入口也就失去了价值。一年后，一淘就变成了一个部门，重新回到阿里巴巴。

有的时候，我们可能会用相当极端的方法来测试对未来的判断是否正确。很多传统企业有时候会很不服气，觉得互联网企业的管理这么混乱，看起来像无头苍蝇在那儿乱飞一样，但是为什么它们好像还做得很好？很重要的一个原因是，大家对战略的理解是不一样的，包括相应的资源使用。对于互联网企业来说，或者说对于未来的竞争来说，由于整个市场变化得太快，方向又不明确，所以通过行动实验、摸索出新的方向是第一位的，为了试出这个方向，浪费一些资源是完全值得的。

有人会说淘宝早期是野蛮生长，有时候会出现三五个团队在做一件类似的事。虽然看起来他们做的事情很相似，但是他们背后的思考，甚至做事情的基础是不太一样的。有时，我们会看着团队运行一两年，这个时候再下结论说哪个团队代表了未来，这件事就交给他们做，解散其他几个团队。这样做牺牲的是短期的资源使用效率，但换来的是在一个正确的战略轨道上不断向一个更加振奋人心的远见和未来挺进。

千万不要再拘泥于传统的计划，写下来的计划基本上一写下来就过时了。你的确要具备一种新的核心能力，就是在预判未来和当下行动之间形成非常高效的反馈闭环。这样的话，你可以让自己的预判足够优化。没有谁真的能看懂十几年以后的事，只是说你一直在看，然后在做的过程中，只要比别人快半步就够了。反过来，我们也看到很多人盲目跟风，虽然他们在快速行动，但是行动没有方向指引，最后可能不知道走到哪儿去了，真正的大浪一过来，这些人就消失了。在这个新的时代，战略制定和执行最关键的一点是一定要逼近最接近未来的那条主航道。在这个过程中，不要顾忌一些资源的浪费。

不停尝试、不停转变绝非阿里巴巴的专利，现在几乎所有的巨头企业都在做着类似的事。谷歌的创新实验室就是一个典范，很多创新业务，例如基因诊断、无人驾驶都是这个实验室孵化的。谷歌甚至把母公司改名为 Alphabet 就是希望超越传统的搜索业务。

要形成这样的战略打法，对组织和团队的要求是完全不一样的。当时，阿里巴巴把一家公司拆成三家公司，只用了两个月，各个团队就到位了。试了一年之后，把一淘并回集团的时候并没有造成大规模的人员流失。要形成这样一种敏捷的战略，制定执行的过程需要一套全新的组织理念和组织架构。组织内部信息流通要高效，也要有足够的灵活性，随时调整。这是阿里巴巴核心价值观"拥抱变化"的意义所在：支持战略的快速调整，我在第 15 章会分析这个问题。

10

新定位：点—线—面—体

互联网和传统产业的结合是当下的新浪潮。然而，二者的结合到底谁为"体"，谁为"用"？我们面临的是商业范式的大革命，还是传统产业的升级？这些判断直接影响每个企业的战略选择。

随着互联网、云计算、大数据等技术的进一步发展，我们将从传统的工业时代进入万物互联的时代，从供应链效率主宰的时代进入网络协同的时代。在这样的环境下，企业必须进行战略上的选择，我给出的建议是点—线—面—体。

"点—线—面—体"的定位逻辑

由于工作原因，我这些年接触过很多创业者，也和他们探讨过很多创业道路上的疑惑与困扰，其中听到次数最多的问题莫过于"我的公司下一步应该怎么办"。随着讨论的次数越来越多，我慢慢发现，在新的商业大环境下，传统的战略理论框架已经出现很多不适应之处。

战略最核心的是定位，这是业界公认的事实。定位最传统的理论框架由迈克尔·波特最先提出——成本领先、差异化和利基市场的竞争战略。大师的智慧无疑令人叹服，站在巨人的肩膀上，我也有自己的一点儿粗浅想法，我将之称为"点—线—面—体"。

面

在这个体系中，"面"指的是平台或者生态型企业。"面"的核心是要有创造新模式的可能性，它要广泛地连接不同的玩家。换句话说，想要成为"面"，起码得是一个市场。

大家或许还记得之前我说过，"网络时代最有价值的是网络效应"，"面"的核心要素也是如此。要想创造网络效应，就要建造一张协同网络。如果没有协同网络，网络效应便无从谈起，进而无法催生众多的新角色，也就无法成为一个成长性良好的"面"。

在那些找我讨论公司下一步发展的人中，大部分人想的都是"面"的好处，却不具备"面"的能力。他们一门心思想让自己的公司成为市值千亿美元的"巨无霸"，却根本不明白"面"的核心因素是网络效应。如何快速地扩张网络，将网络协同做到极致才是公司发展的当务之急，但很少有人能够意识到这一点。

有些人对市场很敏感，但他们并不具备"面"所需要的系统化架构能力，特别是持续运营和研发产品的能力。他们拥有的是某些稀缺资源，或者在特定时间点最需要的能力。对于这样的创业者，有时候我也会比较直接地建议——其实"点"也是一个很好的定位。

点

"点"是指在"面"上存在的各种各样的新角色。比如，在淘宝上就有很多丰富的角色，从卖家到给卖家提供物流服务、模特服务、软件服务甚至代运营服务的商家，这些角色都是淘宝这个"面"上的不同的"点"。

"点"和"面"是共生共荣的关系。"面"要发展，就要为其上的"点"创造生存和发展的机会。淘宝能够有如今的庞大体量，很重要的一个原因是有众多的"点"在淘宝上获利颇丰。一浪接一浪的人在淘宝上赚到了钱，就会反过来推动淘宝这个"面"的发展。

永远不要低估"点"的价值，在准确的时间节点找到合适的"面"，并与之共同发展，也可以让"点"实现爆发式成长。当然，"点"考验的是创业者的眼光，因为"点"存在一个很大的挑战——它本身的壁垒并不高，这就意味着创业者对时机的把握能力至关重要。

例如，从2009年开始，国内的带宽越来越大，图片的下载和浏览速度越来越快，大家也养成了看图购物的习惯。精美图片对销售的贡献度日趋提高，这使图片的价值暴涨，直接带来的就是"点"的一系列机会——各种各样的模特、摄影师和摄影棚。

直到今天，我依然清晰地记得，那些年想要在杭州找一个摄影棚是一件极为困难的事，一个优秀的摄影师一年能挣几百万元。同样赚钱的还有淘宝模特这个新生的"点"。在我的印象中最为夸张的事情是2011—2012年，淘宝排名前十几位的模特都能有几百万元的年收入，其中一个模特的年收入甚至超过几千万元。这位模特并不隶属于知名杂志，但不知何故，海宁所有卖服装和卖皮草的商家都会请她。好景不长，2013年，模特市场明显衰落，原因是越来越多的人知道在杭州做模特能赚钱，纷纷涌入杭州的模特圈，这便意味着淘宝模特这个"点"的机会不复存在。

因此，对于打算从事"点"的生意的创业者而言，能够抓住机会是一件极为重要的事。

线

　　仅有"点"和"面"无法构建完整的生态，因为"点"和"面"无法直接为消费者或者客户提供服务。还有一个角色不可或缺，我将之称为"线"，因为它连接了"点"、"面"和最终的客户。对于"线"来说，"面"的选择至关重要。你可以选择做淘宝卖家，也可以选择做微商，抑或选择做微博大V，选择的自由完全在于"线"。

　　淘宝卖家就是典型的"线"。依托于淘宝这个"面"，淘宝卖家能够直接为消费者提供产品和服务。这条"线"之所以能够较轻资产地快速发展，很大一部分原因是它全面享受了淘宝这个"面"提供的各种基础服务，例如支付和物流，也包括后来的金融服务和云计算服务。与此同时，淘宝卖家又充分利用了淘宝上多元的"点"所提供的种种价值，快速地整合了传统供应链上的各种资源，更高效地提供经过整合的一站式服务。

　　网红品牌是一个非常典型的例子。这条"线"能够在较短的时间内迅猛发展，很重要的一个原因是在淘宝上有为数众多的可供借力的"点"，设计、推广、客服和生产等方面完全可以进行外包。因此，只要网红品牌能够将注意力完全聚焦于自己最擅长的能力之上，再借助这个能力将整个链条中所有相关的"点"整合到一起，就能够得到快速发展的机会。

　　作为"点"的整合者，网红品牌这条"线"能够获得今日的巨大成功，离不开网红对客户持续深刻的理解，以及不断整合不同的资源。由于"面"的基本盘发生了根本性变化，如今爆发式成长的

"线"所依赖的整套运营体系与传统B2C模式完全不同，它们的运营最接近C2B模式——基于客户持续的互动，提供新型的品牌、社区、产品，甚至是越来越创新的整套供应链管理体系，让效能达到一个前所未有的高度，向客户提供真正精准的服务。

简而言之，"线"需要的是一整套全新的打法，这种定位更适合于尽可能向C2B模式演变的创新型企业。要想做"线"的生意，你一方面需要充分利用"面"带来的各方面支持，另一方面还要善于捕捉"点"带来的机会。

在和网红雪梨聊天时，她曾对我讲过这样一个细节：2012—2013年，她会用专业相机拍摄清晰度很高的商品照片，这也是用户喜欢她的商品的一大原因；到2015年，她开始只用iPhone手机拍摄商品照片，因为iPhone拍出的照片会让用户产生更为亲近的感觉，更容易获得社群的认同。

体

"线"是对传统B2C服务的超越和颠覆，这种颠覆扎根于"面"的支持力量，以及"面"赋能的"点"创造的更多的可能性。因此，"点"、"线"和"面"是一个三者共生、共同发展的结构，这也是我们将类似淘宝的体系称为生态体系的原因所在。"体"的概念由此而生。

"面"是"体"最根本的组成要素，在"面"的扩张过程中，如果能够有足够强大的基础，也许还会衍生出其他的"面"，进而形成一个日趋完善的"体"。

以淘宝为例，因为支付和信用在淘宝上如此基础且重要，所以支付宝源于淘宝，但逐步有别于淘宝，变成一个独立的第三方支付平台，形成了另外一个新的"面"，并且在这个"面"上支撑了无数的支付服务。云计算也是如此，它的起步是支撑所有淘宝卖家的商云，然后逐步衍生出其他创新服务。这些"面"互相交错融合，推动了中国经济的升级换代，形成一个基于互联网的新型经济体。

淘品牌的崛起给淘宝带来了更多的流量，这些流量养活了更多的服务商，而服务商的壮大又带来了下一批的网红崛起，整个"点—线—面—体"的扩张过程一浪接一浪。四者中最核心的是"面"，因为"面"一方面有可能逐步演化成"体"，另一方面也支撑了"点"的繁荣，并给"点"赋能。"线"又凭借这些"点"和"面"提供的能力和支持，对传统供应链管理体系进行降维打击。

一旦理解了四者的关系，你自然会明白从2013年开始，传统品牌大量关掉线下店的原因所在，这个浪潮一直延续到了今天。前不久，曾经非常红火的女鞋品牌百丽被整体低价售卖，这是无法逆转的历史潮流，除非这些传统品牌找到新的"面"。

举个例子，或许能让你对这种对比理解得更为深刻。凡客是十几年前非常受欢迎的一个独立B2C品牌。在投入最多的时候，凡客有三万名员工。然而即便在它的最高峰时，全年销售额竟然也不到20亿元。对比现在一个正当红的网红，可能用不了5年时间，员工也不会超过500人，便有可能实现一年将近20亿元的销售额。20亿元是个什么概念？我了解到如今最好的线下女装品牌，二十几年下来，现在的年销售总额也就是在六七十亿元。

现在，如果有人再来找我讨论企业下一步发展的战略问题，我会反问一句："点、线、面、体，你的定位到底是什么？"先要明确这个问题，后面的一系列问题才能展开讨论。"点、线、面、体"每一个定位的背后都有着不同的逻辑，需要不同的运营原则、资源调配方法，甚至竞争壁垒和最后可能的发展路径都大为不同。所以，明确自己在未来网络化世界的定位，是决定企业发展方向的第一步。

淘宝的动态演化

淘宝发展至今的每一步我最为熟悉，我也亲身经历了这个过程。我们不妨以淘宝面临的战略挑战和选择为例，帮助大家更好地理解新商业环境下的新定位思路。

连"点"成"线"，互动结网

从表面来看，淘宝是一个在互联网上重现的义乌小商品市场。在线下市场中，买家和卖家面对面沟通，资金从买家走向卖家，货物逆流行之，交易完成。电子商务与传统线下市场唯一的区别，仿佛就是卖家和买家不见面而已。整体流程如故，买家和卖家两个"点"连接，交易线完成。

真的如此简单吗？起点和终点相距千里，或者相隔数十个小时的隔空喊话，交易线如何进行连接？十几年前，淘宝草创之初，买家和卖家只能在网上谈好价格，然后约定时间、地点，一手交钱一手交货。也就是说，起点和终点已经在互联网上的时候，交易线的主体却并未上网。在这样的模式下，市场的规模自然无法扩大，早期淘宝的交易只能以同城为主，且误差率颇高。

所幸支付宝应运而生，快递服务也突飞猛进，并各自成为一个行业。有了它们的协助，互联网上的交易线才终于通畅。现在，淘宝上的任何一次交易，或多或少都要通过这些服务"点"：广告（阿里妈妈），搜索引擎，导购人员或公司，商品页面展示（店铺装修公司），客服（阿里旺旺），快递员……难以计数的"点"隐现在交易线上，在这些功能各异的点的协力合作下，交易线才能完整地在互联网上形成。这些"点"，构成了今日星河灿烂、生机盎然的淘宝。

"点""线""面"交织成"体"

当我们了解了淘宝的历史后，理解互联网生态中的"点""线""面"就变得非常容易了。

"点"，提供确定的商品或服务承诺。它可以是淘宝上的一个卖家，可以是一名快递员（或一家快递公司），也可以是一位靠脸吃饭的淘女郎，甚至可以是微信或豆瓣上的一个ID。

"点"与"点"相连，构成了"线"。例如，快递公司这条线，连接了仓库运营、干线运输、转运中心、快递点等多个"点"。互联网上的线，最直观的价值就是去中介化，减少中间环节。淘宝直接连接了卖家和买家，让二者跨越物理、时间的限制也能完成互动与成交。

与"点"和"点"互动成"线"相似，"线"与"线"相交、互助、协同，"面"也就呼之欲出了。"线"与"线"交织在一起，互相影响的"线"越多，则"面"越宽广。到"面"这一级，平台的形态才真正确立。

淘宝的起点就是由互联网上的零售线开始的，催生多点发育，刺激异质的连线出现，并互动交织，逐渐蔓延形成"面"。淘宝上的任何两个"点"之间都会构成一条"线"，相互做如下互动：报价、需求传达、交易、修改产品……在互动中，异质的"点"和"点"连成"线"，异质的"线"与"线"交织成"面"。

当用户打开淘宝的手机App或者PC端的淘宝页面时，任何一次点击都是从C端开始发起的一次连线。紧接着，这条交易线会在搜索引擎、客服、快递等"点"的参与、互动下完成。这些"线"都是动态的，无时无刻不随着卖家和买家的互动增加，在淘宝中发育壮大，淘宝本身也就从一条购物线膨胀成为"面"。

当下，这个"面"仍在扩张。"点"（卖家和买家）最繁密的服装领域，向外围蔓延的趋势也最为明显。成衣制造正在纳入其中，顺流而上，在原料环节的染色、棉纺等整条供应链都将被渐次纳入。可以想象，随着这些"线"在互联网上重构，更多的"点"在淘宝上互动，更多的创新与服务也会指日可待。

演化并没有就此结束。试问，即使是在购物之外，又有几个消费者没有使用过余额宝呢？蚂蚁金服的微贷客户已达百万之众，基于支付这条"线"逐步延伸出来的新的"线"（贷款、货币基金、理财产品），已经交织成一个新的"面"（金融平台），并反过来演化出各种新"线"。它们同样交错互动，帮助第三方支付这个"面"向外扩张。类似的情况也发生在快递、广告等多个行业，这些只是最直观的，淘宝上类似由"线"演化的"面"还有很多。

现在我们谈"淘宝"往往会有定义上的困难，那就是我们究竟谈的是淘宝、天猫、"聚划算"等"线"组合成的购物"面"，还是在谈购物、支付、快递、云计算等多个"面"叠加而成的淘宝生态"体"。

如果上述推理可以成立，我们大可畅想，"面"与"面"交错或叠加，正在培育下一阶段——"体"。到目前为止，我们对于"体"还所知甚少。可以确定的是，"体"能够迸发的能量必然是"面"的能量的数个量级，整个社会的资源分配方式也将随之发生变化。

在这个"点—线—面--体"的框架下，如果还以售卖商品的价格、成交总量比较淘宝和传统零售业，已如白头宫女话天宝，因为上述以实物商品交易为核心的度量衡仍停留在"线"的层面。淘宝已经演化成"面"，并出现"体"的格局，其推动的产品创新、资源的高效整合、商业模式的变革，又岂是"线"上"线"下的价差所能涵盖的？最直观的证明就是淘宝提供的商品、服务的多样性，已远非线下任何一家城市综合体可比。

再也不要简单地认为淘宝只是一个购物广场，如今它已经变成一个旺盛的生态系统。其中，任何两"点"之间都是一个双边市场，购买有形的商品或无形的服务。卖家、搜索、导购商、快递公司等

"点"能提供的服务，以及相互之间的交易量，都远远突破了传统线下B2C的极限。淘宝的丰富和活力，早已不是一个网上的义乌小商品市场可以比的。

开放，连接，扩大网络

回顾淘宝的历史，它的神奇之处就在于，一条零售线能催生如此多的"点"发育，延伸出这么多的"线"，并逐渐蔓延形成"面"，向"体"的方向发展。其实，答案也很简单：开放，帮助"点"与"点"连接、互动，扩大网络广度，加强网络密度。

早期的淘宝创业者，包括现在已经赫赫有名、价值以亿元计算的淘品牌创立者，几乎都不具备在传统零售业中独立开店的可能性。因为无论是启动资本、客户获取，还是店铺租金等，都是巨大的负担。时至今日，他们对于淘宝最大的感念也在于此，淘宝的出现，大大降低了创业门槛，使创新成为可能。

无论是有意还是无意，在传统卖家和买家的连线中，B端的封闭结构已经被淘宝打开，大大提高了B端的整体供给能力。如此一来，B端提供的商品的丰富度有了很大的提高，价格也比传统的线下零售更有优势，自然带来C端消费者福利的提升。于是，C端客户，尤其是未被传统零售覆盖到的消费者趋之若鹜，短短几年的时间就如海潮一般涌入，又反向刺激了B端的规模扩张。如此正向循环，淘宝自然出现了生态爆炸一般的繁荣。

相比传统的线下零售业，淘宝这条互联网上的零售线最本质的特点之一就是开放。它不会规定卖家必须提供哪些产品，或以何种价格，一定要通过怎样的"点"进行连线。一次交易线的萌发，可以连接两"点"即完成（比如广告商和商家的交易），也可以随机通过数个"点"方告结束。站在这条"线"的起点和终点，卖家和买家都不一定清楚，也无须清楚这条"线"经过多少"点"，因为任何一条交易线，都是淘宝这个"面"中的"线"，都是由"面"上的"点"自由连接而成。因此，每一条"线"都不会完全一样。譬如，由卖家发起的一次营销活动，通过展示广告的方式影响了买家，这个过程就没有经历搜索引擎，而是由买家主动搜索，然后购买虚拟商品，就不必烦劳快递员了。

"线"的开放，吸引了更多的"点"加入，其中连接困难之处就有商机，就会催生新的"点"出现。由于连线的需求，自发在淘宝上涌现的"点"也都遵循着开放的特点。如淘女郎目前在淘宝上已有百万之众，她们的身高数据、三围数据、走台姿势等，都与传统的模特大不相同。若以传统的行业标准来看，其中很少有人可被称为"模特"。

在淘宝销售中，连线以图片为王，好的图片对销售的影响很大，其中又以"真人"图片效果最好。随着淘宝服装销售的数量大增，类目快速扩张，对"模特"的需求，无论是量还是类型，都有一个爆发式的发展。所以，"胖妹妹淘女郎""中老年淘女郎""淘孕妇"之类的细分市场不断涌现。同时，时装发布会之类的中间环节均被省略，原本模特行业的完整封闭模式也已经被打开（大大低于专业门槛的淘女郎足以帮助淘宝平台上卖家到买家的顺利连接）。

10

新定位：点—线—面—体

不难理解，当"胖妹妹淘女郎""中老年淘女郎""淘孕妇"这些"点"涌现之后，帮助了买家端更大规模的胖妹妹、中老年、孕妇进入淘宝，又反向刺激了更多卖家为她们准备商品……在卖家到买家的不断连接与互动中，淘宝的外延也就逐渐扩大、蔓延开去。

可见，"线"的开放，为顺应互动，引入开放的"点"，又推动了"面"的扩张；接着，这个正向反馈不断复制与迭代优化。仅仅十多年的时间，淘宝就在如此旺盛的驱动力下，成长为今天的万亿规模。

从表面来看，淘宝中帮助卖家和买家连线的物种，都是线下零售业中的已有之物，可以一一对应：卖家（店铺），支付宝（银行），快递（物流），阿里妈妈（广告公司）……甚至不少"点"的名称也可与线下传统产业通用。事实上，恰如"淘女郎"与传统模特在本质上的区别一样，淘宝中的很多相应物种都打了原来的封闭结构或者行业壁垒。其结果是，零售产业貌似重现于淘宝这一互联网平台，其实内部经络已经历乾坤大挪移。

协同演化

淘宝发育壮大的每一步，基本都暗合了开放、连接、扩大网络的逻辑。之前我们提到过，支付宝和快递公司出现的本意就是帮助身处异地的卖家和买家连线。当卖家数以万计、商品库数以十万计时，淘宝开始划分类目，引入搜索功能，并出现天猫、"聚划算"等区隔市场。

　　此类服务的客观效果都是在帮助卖家和买家在海量信息中不至于迷失对方，让卖家和买家的交易线得以发生，并在互联网上高效互动，从而提高网络密度。在主观上，淘宝是促进而不是抑制"点"的活力，并顺应了"点"的要求提供更完善的服务。至此，淘宝作为"面"已经开始下沉。类似的机制还有反作弊、售后纠纷等，都是在"点"日益活跃后，对"面"提出的新要求。淘宝必须建立这些规则，才能避免平台走入"竞次"的柠檬市场（即信息不对称市场）。这类机制，就是对顺畅连线、良性创新的最大帮助，均为平台的基础设施。

　　对于"点"而言，淘宝"生态体"已是须臾不可离的生态环境。事实上，的确有一些淘品牌尝试离开淘宝母体，通过建立官网等方式自立门户。此类二次创业大多步履艰难，最终烟消云散。因为当它们在生态体之外时，帮助卖家和买家连线的其他"点"都不复存在，又缺少"面"的基础设施支持，连线难度之大可想而知。假如要完全重建生态系统，原来在淘宝中创业的低成本、创新零门槛等优势又会丢失，这些"点"还要被迫承担自己不擅长的"面"的职责，自然是九死一生。

　　类似的情况还有很多。近年来有不少传统企业纷纷"触网"，建立了自己的所谓B2C"平台"。实际上，它们都是孤立的"点"，尝试利用互联网技术完成与消费者连线。其操作方式仍是封闭的，与其他"点"相连、合作，最终到达消费者，似乎不在它们的考虑范围之内。这与脱离淘宝的那些"点"的问题几乎完全一样：没有

"面"的支持，没有使命迥异的"点"协助，孤悬的"点"如何能顺利连线？这也是为什么单论销售额，传统品牌的自建官网与其天猫官方旗舰店相比仍颇有差距。

从这些案例中可以看到，淘宝的优势远非数量或技术上的，而是建立在生态上的。在一个整体中，"点""线""面"之间的共同演化，决定了生态的未来。作为"点"，其使命就是安心在生态中，以低成本创新，更好地直接服务客户，并对"面"提出新要求。"面"必须积极回应这些要求，提供更丰富的服务，以求不抑制"点"的活跃和"线"的生长。这种共生关系也决定了"点""线""面"不得不携手，一起创造未来。支付宝是最为典型的案例，从淘宝的一条辅助线生长成"面"，并拉动淘宝一起向"体"的方向发育。在这个过程中，"点""线""面"各司其职，并不断进行互动，发生化学反应，其所在的整"体"才能在生态体之间的竞争中立于不败之地。

生态系统对供应链的升维打击

当我们对"点—线—面—体"的框架有所了解后，自然也就发现了互联网企业相对于传统行业的企业有哪些优势了。传统的供应链不需要"面"和"体"这样繁复的网络，因为其目的是效率，如销量最大和成本最低。因此，传统商家会在整个价值链中尽其所能垂直整合上下游，以统一的标准、规格、质量，将"点"纳入其控制的价值链。互联网因其开放性，拥有高阶生态的丰富资源，无数

"点"与"点"互动，迸发出的能量之大让传统、封闭的"线"望尘莫及。这样的胜利，才是真正意义上的升维攻击。

升维攻击背后，是互联网生态的不断扩大，"点"与"点"的互动，依赖越来越强大的互联网技术，会发生越来越多的化学反应。因此，只要互联网生态仍在扩张、丰富，更有活力的生态体能够涌现，升维攻击就不会停止。随着原有生态体的老去，活跃度与重要性一起下降，本来占统治地位的"面"和"线"即使还能在高阶生态体中存活，也不得不主动降维。

以新闻业为例，我们就能够看到数次清晰的升维攻击。通过分析传统媒体的行业特征，我们发现其实它身兼"点"和"线"两种属性："点"就是生产新闻内容，"线"则是建立发行、传播渠道。因此，在"前互联网时代"，新闻业是典型的"线"。

大约在10年前，国内的媒体人发现，自己的报道需要被新闻门户网站转载才能产生社会影响力。那时就已经有不少人发出这样的感慨：第一媒体其实不是中央电视台或新华社，而是新浪、网易和腾讯的新闻主页。类似的情况，在新闻业发达的国家几乎同时上演。以雅虎、新浪为首，门户网站的另一记狠手是肢解了传统媒体的版面、栏目、频道，只以单篇报道、单张照片、单段视频内容示人。行文至此，读者可自问：自己上一次手捧报纸，沿着编辑思路从头版开始，一路慢慢读完厚厚一叠报纸是什么时候吗？

在门户网站的升维攻击下，传统媒体作为"线"的价值几乎可以忽略不计，而作为"点"也远比过去零散。此时，传统媒体只能以更为散点的方式寄生于门户网站平台（"面"）。依赖互联网无远

10

新定位：点—线—面—体

弗届的送达能力，一个新闻事件、一篇文章、一张照片、一段视频在瞬间送达千万人，名动天下，反而比以传统媒体本身为"主力线"的时代更容易，内容传播达到新的效率高度。

门户的黄金时代不过几年，最后就连自身都成为互联网时代的垫脚石。第二轮升维攻击的开始，就是微博带来的第二轮媒体革命。微博作为一个新的"面"出现，其传播能力不仅远大于门户，还打破了创造内容的专业壁垒。于是，在新闻内容领域，涌现了一批微博大V，影响力绝不输于传统媒体。动辄千言的调查报道，依然有其价值，但140个字为限的微博，激发了原来不能参与新闻创作、内容生产的"点"（网民），极大地提高了供给，众志成城，聚沙成塔，彻底将传统媒体打下神坛。

在这一轮升维攻击中，新闻门户网站本身也不得不降维成微博的一个"点"（如"新浪头条"），与传统媒体一起，置身大V之间，卖萌以求"粉丝"关注。若论"粉丝"量，这些传统媒体可能还远不如那些大V。后者在互联网时代应运而生，从诞生的第一天起就带着互联网的DNA，远比传统媒体擅长与"粉丝"互动。

微博独领风骚也不过几年，第三轮升维攻击就已经开始。微信的移动、社交属性，比微博更符合一般人的阅读习惯。任何一个用户，唾手可得的一张照片就可以在朋友圈中获得点赞。内容生产的门槛进一步下降，封闭结构进一步被打开。此时，微博自身虽然还是一个"面"，但对比其黄金时代无疑太稀薄了。对于生态更为繁荣、活跃度更高的微信而言，微博只是一条"线"罢了。从微博输出到微信朋友圈内容的快速下降就是很好的体现。在微信这一"面"

上，内部生长出来的"线"——公众号，卖家和买家的互动与连接远比微博更加便捷。

此时，传统媒体何在？其"线"的价值已是明日黄花。在一轮轮升维攻击下，老牌新闻机构的唯一选择就是彻底放弃"线"的功能，只保留"点"的作用，并纳入新媒体平台（"面"）。老牌新闻机构如BBC（英国广播公司），早已放弃原来的广播、纸质报纸等渠道，而是依赖互联网技术传播其内容。当下传统媒体的痛苦源于原来由"线"（发行、广告）补贴"点"（内容生产）的商业模式被颠覆后，新的商业模式尚未确立。不可否认，它们作为点的价值依然无法动摇，但过去的"线"已无活力，只有彻底扔掉包袱，传统媒体才能在内容创造这个"点"的阶位上浴火重生。

综上所述，所谓升维攻击，就是在互联网技术的帮助下，新平台将不断打开过去的封闭结构，纳入越来越多的"点"，共同参与互动。在升维的"面"上，由于供应、需求以指数级别增加，"面"促进而非抑制"点"的活力，"点"连成"线"的活力也远大于传统的"线"。

可以大胆预测，看似目前未被互联网影响的行业，也许只是因为互联网的浪潮尚未迫近。传统工业中，几家巨头的生产力就决定了一个产业的整体供给和效率。尤其是在重资产、重工业领域，巨头将价值链几乎完全封闭于体内，并建立了巨大的结构壁垒，这种行业特性会很快发生变化。譬如汽车产业，将因谷歌、特斯拉、优步这样的互联网公司搅动，重构成何种面貌就很值得期待。又比如建筑、飞机制造、能源等看似与互联网风马牛不相及的行业，将来的命运又会如何呢？

企业未来的发展方向

既然互联网的浪潮已经逐渐逼近，我们不妨在"点—线—面—体"的框架中，将当下的各家互联网创业公司进行分类，以便大家更清楚自己在未来的发展道路。经过分类后，我们不难看出，其实"点"的数量仍占绝大多数。

淘宝上数以百万计的店主、苹果应用商店中一个个独立游戏的开发公司，或者当下被O2O（线上到线下）浪潮裹挟而来的大小服务提供者，都是"点"，它们提供了确定的商品与服务。只有在淘宝、安卓应用商店和苹果应用商店这些生态圈中，它们才能以传统商业无法想象的低成本找到自己的客户。所以，它们无法离开这些生态圈（"面"）。因为在生态圈之外，它们很难将企业和客户连线，获得其他"点"的协助，以及创新并得到客户的响应、反馈等优势。甚至，"点"提供的商品、服务、创新均以生态圈为基础，跳出圈外就难以存活，比如，一个手游开发商或专车司机，怎么可能离开苹果应用商店和滴滴、优步呢？

互联网时代的商业竞争，往往是以"面"和"体"为单位的生态竞争。"面"对"点"的激活、辅助程度，就是吸引"点"共创未来的砝码。对"点"而言，选择合适的"面"，帮助自己连线，并持续激活自己的创新力，才是做选择时最重要的依据。

只要找对了"面"，"点"就不难在中短期获得确定性收益，也能乘势而起。"点"仍需要密切关注其所在的生态环境变化，继续演化，或者进入就地"二次创业"的路径。淘宝早期的一批卖家，因淘宝的人口红利而大发利市。此后，他们却抱残守缺，锁定路径而未能与淘宝一起不断"革命"。其兴也勃焉，其败也忽焉，只换得旁人一声长叹。

即使依赖互联网技术而成的"线"，也会由于其他"面"的兴起，被升维攻击一举击溃，进而萎缩。比如，联众游戏将线下的棋牌游戏搬到网上，让玩家不再受限于地理范围，在任何时间都能找到同好。这条"线"一度欣欣向荣，但它仍是一条孤独的"线"，"点"的活力并未延展，因此未能发育成为一个"面"。当腾讯作为一个"面"的威力逐渐显现时，借助平台力量孵化出的棋牌"线"就远比联众游戏更苗壮强大。可见，QQ游戏对联众游戏的胜利，是互联网生态优势的体现。"点"与"点"在原有的互动、连线（社交）的基础上，又进行了新的连接（游戏）。这条新"线"还会和其他"线"相连，如微信支付这条"线"带来虚拟商品的购买、充值的进一步便利。功能各异的"线"越是交错缠绕，"面"就越坚实，"线"本身就越强大，"点"（用户）的活力就越大，整个生态的竞争力也就越强。

因此，对于追求中短期稳定收益的"线"而言，与前述的"点"一样，找准对其最有帮助的"面"，借其生态系统发展壮大，并与"面"共同演化，方为上策。否则，以互联网时代的气候变化速度，沧海桑田不过几年间，届时成型的"面"是否需要它来做一个"点"，也未可知。

10

新定位：点—线—面—体

另有一些创业公司，从"线"开始入手，实际期待的是"线"壮大之后就能蔓延成"面"。从不同角度切入，八仙过海、各显神通的众多O2O企业就是典型。其中有志者，如河狸家，虽然一开始从上门美甲这条"线"切入（据说，这个切入点本身就是从20多条"线"的比较中选出来的），但第一天就不掩饰自己要做手工艺人平台这一理想。围绕小区这条"线"展开的众多公司更是希望自己成为本地服务的最终平台。

这些企业的榜样，当然是最近风头正劲的优步和爱彼迎。从两个巨大的产业（"线"）切入，只要它们不抑制"点"的活力，让更多的"点"继续生长，并鼓励异质的卖家和买家连接，就会向"面"的方向发育。比如汽车租赁，社区（多个消费者）对于汽车的共享，恐怕很快就会在优步这个平台上萌芽。如果能顺利连出更丰富的"线"，优步自然而然就会变成一个"面"。爱彼迎对于旅游的延伸更是顺理成章。

这一生长逻辑，与淘宝的历史颇有相似之处。"线"涵盖的"点"足够多，完成交易需要的互动足够丰富，就会产生更大的吸附力，将越来越多的"点"或服务、产品的流程纳入这条"线"。随着异质的连线越来越多，这条"线"本身也在向"面"（平台）的方向推进。

既然这一类"线"志存高远，就必须甘于寂寞，苦熬多年。因为开放线性结构中的"点"，创新萌芽会缓慢成长，然后在互动中连接"新线"。"新线"与"旧线"再慢慢交错，编织成"面"。

在传统的产业环境中，公司存在的价值在很大程度上就是衔接工序、协调工种、管理流程、确定产品的统一质量和售后服务等。在互联网时代，上述职能均可依赖IT工具完成。随着传统封闭结构的打开，提供服务的专业限制呈几何级数降低，创新与服务小众需求的可能性却呈几何级数提升。

由此可见，大部分线性结构的传统产业，都会在互联网技术下解构，成为"面"（平台）生态分布的一个个"散点"。"点"自由分布、按需聚成的"线"，将远比过去封闭的"线"更有活力。因此，主导这次重构的"面"其实接受了划时代的挑战——异质的"点"与"线"发生互动，随机分工，并能有效合作，制造产品，完成创新，都需要平台提供轨道和规则。

此类服务，如与传统产业的功能类比，则是质量的统一化保障。传统产业依赖流水线，封闭结构，大规模产出完全同质化的产品。互联网的竞争者以生态分布的特点，在产品的多样化方面响应客户的需求，因此产品、服务的丰富度大大提高。与此同时，它们也要在产品、服务质量上达到最小公约数。这就是平台（"面"）的职责。与之相似的，是前文已述及的各类机制。它们的有效运行能保证卖家和买家继续互动，"点"继续创新的最大帮助也是平台的基础设施。

互联网时代，基础设施已非传统的水、电、煤，或售后服务那么简单，淘宝、亚马逊和谷歌都由于数据量巨大而开发了云计算。回过头看，这几乎是历史的必然，这是"点"聚集到一定程度后对平台的要求。服务器的稳定和数据保存，只是互联网基础设施中最初级的两项需求。满足这些新需求，也是生态系统整体升级必须打破的壁垒。基础设施改善的另一个作用，仍在于增加"点"的活力。由于云计算输出了廉价而稳定的计算能力，中小企业不必自建机房，因而大大减少其投入IT设备和人员的固定成本，进行创新和连接的难度自然大大降低。

只有在AWS（业务流程管理开发平台）这样的基础设施上，才会出现如WhatsApp（瓦次普，一款智能手机之间通信的应用程序）一般的公司。其员工只有百余人，却能服务亿级用户，估值数百亿美元，这在传统时代几乎是天方夜谭。类似的公司在淘宝生态体中也有好几家。其实，虽然这些公司栖身于"面"上，自己却往往可以独当一"面"。对于它们，平台只能主动下沉，提供更基础的服务，"面"才能确保"点"的活力，并促进新的创新与连线出现。

只要保持活力和连接的可能，"点"和"线"就会不停地对"面"提出需求。在互动中，"点"、"线"和"面"会共同演化，一起向"体"的方向演化。未来的商业竞争往往是互联网商业体之间生态意义上的竞争。假如"面"不能提供足够丰富的基础设施，让"点"发挥最大的活力并不断创新，刺激新的"点"和"线"出现，更有活力的"面"就可能吸引这些"点"，并取代过去的"面"。此时，原来的"面"将慢慢萎缩，成为"新面"中的"线"和"点"，甚至烟消云散。盛大和腾讯的竞争就是一个经典的案例。

互联网是可以与电相媲美的技术革命，其对产业，乃至人类生活的改变都刚刚开始。回顾19世纪后期，电的普及首先也发生在传统产业结合之处。电灯是最早的电器，其实是针对古老的照明需求，用新能源设计的新解决方案。人类从此告别蜡烛、油灯，这可以看作电帮助传统产业升级换代。到 20 世纪上半叶，随着电逐渐成为基础设施，化学反应纷纷出现。家电、飞机等全新发明创造喷涌而出，针对的都是传统社会无法满足的需求，也大大拓宽了人类社会的外延。

　　以史鉴今，当下"点"、"线"一级的创新，在传统社会中大多能找到对应。待到"面"渐成规模，"体"也小试莺啼，才是革命性产品爆发涌现之日。现在，只是刚刚开始。

第四部分

组织变革

全新的商业时代呼唤着全新的企业形态，全新的企业形态又离不开全新的组织结构，我称之为赋能型组织。创造力是赋能型组织往前迈进的核心动力，需要多元化的团队予以支撑，从而构筑一张无所不能的自组织协同网。

11

第四次组织创新：创造力革命

人工智能正在重新定义智力工作的边界，史无前例地将人们从初级低维的脑力工作中解放出来，最大限度地释放了人的本源价值——主动性和创造性，波澜壮阔的创造力革命就此拉开序幕。在这个时代，机器不断取代能够被结构化的知识，创造力成为最稀缺的生产要素和组织中最大的竞争力，这也对组织模式提出了全新的要求。

历史演变：
组织创新的三次革命

任何新的战略思考方式，都需要组织的创新才能真正落地。随着智能商业的不断发展，组织又该如何创新呢？

人类技术的进步直接影响着组织结构和功能的变化，为了更好地理解我们这个时代所要求的组织创新，在展开具体论述之前，先让我们回过头来看一下历史的演变。工业时代最深刻的观察者和思考者，被誉为现代管理学之父的彼得·德鲁克将工业革命及其之后的社会发展划分为三个历史阶段：工业革命（Industrial Revolution）、生产力革命（Productivity Revolution）和管理革命（Managerial Revolution）。

工业革命

工业革命发生于18世纪60年代到19世纪中期，起源于英国，这是技术发展史上一次里程碑式的革命。

17 世纪中期，英国封建专制制度被资产阶级革命推翻，大规模地对外掠夺、圈地运动，以及国债制度和消费税政策的实施为工业革命提供了必需的货币资金、劳动力和国内市场。手工业的蓬勃发展又实现了生产技术知识的大幅增加，为机器的发明创造了基础条件，第一次工业革命最早便是出现在工场手工业新兴的棉纺织业。

1733 年，英国制梭工人凯伊·约翰发明的飞梭使织布速度得到了极大提高。1764 年詹姆斯·哈格里夫斯对旧式纺车进行了改造，并于 1765 年发明了"珍妮纺纱机"，使得产量得到了有效提升，工业革命序幕正式拉开。1769 年，理查德·阿克莱特改进发明了新型的水力纺纱机，因此被誉为"近代工厂之父"。此后，机器生产开始由纺织业向各个行业扩展，采煤、冶金等许多工业部门纷纷出现了机器的发明和使用。

伴随机器使用的普及，畜力、水力以及风力等原有动力的使用已经越来越无法满足日益增长的动力需求，在这样的情况下，詹姆斯·瓦特对其发明的蒸汽机进行了改进。1785 年，瓦特改良蒸汽机的正式使用提供了更加便利的动力，为机器的进一步普及和发展起到了极大的推动作用，蒸汽时代由此来临。

此后，随着机器的不断增加，传统手工操作开始被逐步取代，工厂这一新型的生产组织形式就是在这样的情况下出现的。随后，螺丝切削机床、蒸汽轮船等机器相继应运而生。1840 年前后，英国工厂传统手工业生产已经基本被大机器生产取代，工业革命基本完成。

工业革命最重要的颠覆，是实现了技术和科学对于传统经验的超越。在工业革命之前，人类社会所有的传统制造都基于手工和经验，在经历工业革命之后，出现了科学和技术的概念，并且在这个基础上产生了近代工程，这场革命成功开创了以机器代替手工工具的时代。

仔细剖析工业革命的发展历程，我们不难发现，支持工业革命的基础是知识革命。牛顿经典力学的三个定理，让科学的概念深入人心，使人类可以理解整个宇宙，可以根据知识创造一个全新的世界。工业革命所有机器的改良和设计，都是基于科学原理，进而在技术上实现了突破。最典型的就是蒸汽机以及其后的发电机，所有机器都是根据通用的科学原理和技术进步的原则而被发明的。

生产力革命

生产力革命大致自 19 世纪 70 年代为开端，直至第二次世界大战。这一革命开始的标志是 1866 年德国科学家西门子发明了第一台大功率发电机。随后，电气产品开始取得突破性发展，电灯、电车、电钻、电焊机等产品相继诞生，电力开始逐步取代蒸汽，作为新的动力能源被迅速应用到工业生产之中，人类社会由此进入了电气时代。

同时，由于电作为基础设施的普及，使得机械化大规模生产成为可能，这个时候需要协调更多的角色，管理的需求在这个时代才得以体现。流水线上需要的工人和旧有工人的概念存在一定差异，由此，美国古典管理学家弗雷德里克·温斯洛·泰勒首次提出了科学管理的概念，全世界第一批商学院也出现在这一时期。大规模标准化的训练和足够多的管理人才，成为这个时代的刚需。

因此，生产力革命的核心是通过管理来提高人的生产效率，相应的组织创新就是出现了公司和最早的职能管理。从职能管理到M型的组织管理，再到今天大家熟悉的矩阵管理，归根结底都是提高人在生产线上和公司内的效率。

管理革命

到20世纪四五十年代，人类在原子能、电子计算机以及航天技术等多个领域均取得了突破性发展，实现了科技领域里的又一次重大飞跃，一大批新型产业由此应运而生。特别是电子计算机的迅速发展和广泛运用，使得人类社会进入信息时代。

同时，信息化的发展使得管理本身也变得愈加复杂。此时的管理核心不再是流水线的效率，而是公司这个组织本身的效率，其依赖于信息的流通和处理的效率。于是，出现了第三次革命——管理革命。

这时，出现了大家熟悉的微软、甲骨文等一大批知名企业，ERP理论开始风行全球。ERP的本质是把知识体系化、流程化、软件化、自动化，进而提升整个公司的管理效率，这与管理革命的根本目的不谋而合——不断提升信息与知识的管理效率，也是管理革命最重要的价值创造来源。

将以上三个历史阶段纵向比较之后，三者的本质区别呼之欲

11

出——知识被产生和运用的不同机制。在工业革命时代里，手工经验被系统化的知识超越，而知识进一步被应用在工具的创新中，将人从繁重的体力工作中解放出来。到生产力革命时代，知识则被运用于人的工作行为和方式中，泰勒提出的科学管理以体系化的方法大幅提升了人的生产和工作效率。在管理革命时代，"知识作用于知识本身"（如何提升知识本身产生和使用的效率），管理和组织创新成为生产率提升的源泉，知识取代资本和劳动力，成为占主导地位的生产要素。按照德鲁克的论断，21 世纪将是知识经济的时代。

沿袭这个思路，我将我们面临的第四次时代大变革称为"创造力革命"，这是知识经济升级到创造力经济的必然要求。

创造力革命

不可否认，最近十年，大数据计算能力的爆发式提升和基于数据的机器学习新方向，使得人工智能技术完成了一次空前的跃迁。过去的历次技术变革，将人类从体力劳动中解放出来，升级为专业化、技术性或者管理性职位，而未来可能被机器吞噬的工作机会将进一步上移。研究表明，人工智能可能取代今天被称为"知识工作者"的 50% 的工作机会。

以"高智商"聚集的律师行业为例，美国现在最好的法学院的毕业生，都开始面临找工作的难题，因为律师的很大一部分工作已经被机器取代。人工智能的大规模入侵显示了其开始胜任包括综合分析、微妙推理甚至制定辩论策略的专业工作。

当然，这并不意味着属于人类的工作机将必然减少。研究报告《与机器人共舞》指出，人类心智的优势在于"柔适性"——能够处理和综合不同性质与特征的信息，并且根据复杂多变的环境和条件迅速调适。过去半个世纪以来，富含"柔适性"的工作需求在不断攀升。"柔适性"赋予人类灵动的创造性和社会敏感性。麦肯锡的相关调查表明，进入 21 世纪以来，要求创造力和复杂社交技能的工作需求急剧上升。全球专业咨询服务公司韬睿惠悦和英国牛津经济研究院合作研究的《全球人才 2021》调查结果显示：未来十年最热门的需求在于关系建立、团队合作、协作创新、文化敏感性以及管理多样化团队的能力。

人工智能还在高速发展，我们享受着数据智能给生活和工作带来的便利，同时也会产生新的疑虑：当机器变得越来越聪明，数据智能在更多的场合取代人时，人到底该怎么办？人的未来在哪儿？

在我看来，未来人类生存的关键在于创造力。虽然业界对人工智能的未来还有很大的争议，特别是关于"机器能否超越人脑"、"机器会不会反抗人类"等话题一直众说纷纭，但有足够共识的是，在可见的未来里，机械性、可重复、可结构化的脑力劳动，甚至较为复杂的分析任务都会被机器智能取代。

如果我们对德鲁克提出的知识经济体系进一步完善与发展就会发现，传统意义上的知识的价值在急剧下降。与此同时，人的直觉、对知识的综合升华能力，或者叫作创造力，依然是机器难以超越的。只要确定这一点，未来人类的核心价值便十分明了，那就是创造力。

11

第四次组织创新：创造力革命

这可以直接表现为技术的创新，也可表现为对客户的感知力、商业的洞察力等。延续德鲁克的体系，我们把未来这次组织大变革称为第四次组织革命，也就是创造力革命。

只要细心观察便不难发现，近来我们的身边出现了一些有趣的新现象：几乎所有做投资的人都在抱怨——钱再多也找不到好项目；几乎所有的创业者都在抱怨——给再多的钱也找不到合适的人；几乎所有的大型互联网公司都在抱怨——给员工再多的钱也很难留住人……究其根本，这一切的真正原因在于最有创造力的人往往是最不在乎钱的人，金钱对于他们的吸引力与诱惑力十分有限。创造力成为最稀缺的资源，决定了人类社会将来的结构。只有把创造力提到这个高度，我们才能更深刻地理解正在发生的变化，才能对未来有更好的准备，甚至是更积极的应对。

在硅谷有这样一种说法：一个真正有能力的工程师的价值可能超过1000个平庸的工程师的价值之和，这也是谷歌和脸书这些公司强调极客文化的原因所在。对于这些世界顶级互联网企业而言，最需要的便是具有极大创造力的人才。为此，它们在组织内设定了所谓IC（individual contributor，独立贡献者）的新角色。这种个人能力超群的顶级创造力人才已经成为组织不可或缺的元素。他们并不带团队，也不承担管理职能，他们需要做的只是将自己的创造力淋漓尽致地发挥出来。

在人工智能不断发展、结构化知识不断被机器学习取代的今天，价值创造的源泉是什么？答案就是创造力。这中间的很多环节甚至机器智能本身，都依赖人的创造力。比如数据智能的起点是场景化，谁能够创造性地想出一个新的场景如何被在线化、数据化，谁就能赢得未来。

我曾经和硅谷的一家教育软件公司有过交流。这家公司由谷歌的一些"技术大拿"创建，主营业务是小学教育软件化。也许很多人会对此深表疑惑："为什么谷歌出来的顶级技术人才会将创业精力放在小学教育上？"说实话，在刚得知此事时我也不太明白。在和他们交流了很长时间之后，我突然意识到，他们真正要做的事情并不是技术本身，而是把一种传统的基于经验的学习方式，用数据化的技术手段搬到线上，再通过数据智能的方法优化用户的学习体验，此过程中的每一个环节都离不开顶级人才的优质创造力。为了实现这一目的，这家公司还投资开办了 8 所实验性小学，公司指派工程师驻场，学校老师 1/3 的工作是与工程师互动，帮助工程师理解他们实际如何教育学生。

这次交流给了我较深的触动，在中国的传统行业快速互联网化、智能化的过程中，首先就需要提升企业家的创造力，让其能够将原来离线的场景变成在线服务。没有创造力就不要轻言转型，这种创造力需要始终贯穿于转型过程。

同样，"合伙人"是近几年来大家听得比较多的一个词，几乎所有人都在谈论合伙人，关于合伙人的很多著作也都成为炙手可热的畅销书。何谓合伙人？志同道合且能力相当。换句话说，能力不够就无法成为合伙人，因为你对合伙企业没有多少价值可言。合伙企业的文化越来越偏向于少量的核心合伙人共同创造的价值，这也是市场中一个比较明显的变化。

　　总而言之，人工智能将人们更彻底地推向富含创意、充满挑战，也更蕴含价值的分工。人作为创新的主体，将价值观、理论、知识甚至直觉贯彻到算法模型和产品中，通过反馈、学习和迭代提升智能、创造价值，继而重塑人的体验、认知和价值体系。创造力革命的本质是通过人工智能释放和激发人的创新力，人工智能和人类智能这两种智能在交互与碰撞中激荡增值，螺旋式地创造出具有巨大价值的智能生产力。正因为如此，人类将会成为更关键、更不可替代的时代主角，在机器智能的全面辅助下，大踏步地迈入智能时代。

12

新组织原则：从管理到赋能

基于管理的传统公司，必将让位于以赋能创新为核心功能的未来组织模式。未来企业的核心功能不是管理，而是赋能。管理之所以过时，是因为管理不能带动创造力。创造力是未来最重要的生产要素，促成创造的唯一方法就是赋能。

忘掉管理，拥抱赋能

创造力革命呼啸而至，组织正在被重新定义，组织原则当然也需要随之调整。所以，接下来我想和大家探讨一个重要的话题——未来的创新型组织的主导原则是什么。

事实上，关于这个话题，早在2008年阿里巴巴集团第一次提出"新商业文明"概念之时，我就已经有所察觉。当时，我们试图通过建设互联网的商业新模式来取代工业文明，但是我们自己的组织依然是工业时代最传统的公司制度，还是科层制自上而下、相对僵化和缓慢的管理决策机制。

那么，到底什么才是适合创造力革命的创新组织原则和模式？这是我一直在探寻的问题。在过去将近十年的时间里，阿里巴巴进行了很多尝试，从内部建设共享平台到赛马式的创新机制，再到用自己开发的基于网络的内部协同软件替换传统ERP软件。虽然我们通过这些尝试积累了不少经验，但我总觉得并没有真正找到未来明确的方向。回答这个问题显然比我们想象的要困难得多。

最近，一些领先的互联网企业开始相继有了更多的经验分享。2015年，谷歌的首席执行官埃里克·施密特出版了一本《重新定义公司——谷歌是如何运营的》，他在书中详细地诠释了谷歌的内部运营机制。同样，脸书也有很多这样的经验开始逐渐被大家熟知……虽然未来的组织会演变成何种模样现在还言之过早，但是，未来组织最重要的原则却已经越来越清晰——拥抱赋能，忘掉传统的管理或激励。

"赋能"是我新造的一个词，赋是赋予的赋，能是能力的能，它所传达的核心观念是如何让他人有更大的能力完成他们想要完成的事。

管理和赋能到底有何不同之处？我举一个大家都很熟悉的例子加以说明。在经典的管理理论中有一个很著名的论断：一个人的管理半径不应该超过7个人，也就是说他的直接汇报者不应该超过7个人。但是在谷歌情况却并非如此，谷歌中领导者的管理半径通常是20多个人，有时甚至会达到三四十个。从管理学的角度来看，谷歌的这种安排无疑是极为出格的，它往往会带来团队效率低下、沟通不畅等恶果。这种情况的出现是因为谷歌不知道传统管理半径的理论吗？答案无疑是否定的。其实，谷歌这种安排背后的逻辑正是赋能。其中的内在原因有很多，最主要的是以下两个。

领导者的目的不是管理，而是支持

在谷歌，领导者为团队全体成员提供的是创新上的支持和各种资源整合，以此帮助自己的下属取得更大的成绩。领导者的目的不是管理，而是支持，这和一般的管理做法是很不一样的。当谷歌公司意识到这一点时，甚至有意让领导者拥有更多的汇报线，以此打破他们惯常的管理半径，逼着他们适应一种全新的运作方式。马云在阿里巴巴也经常使用这个方法。对某些习惯了传统管理方法的人，他有时候会给他们远远超过他们管理能力的工作，逼得他们不得不放弃老习惯，尝试新的赋能型的方法。

团队成员的驱动力不是传统的劳动报酬，而是成就感和社会价值

管理的目的是让员工按公司的要求工作，但在创造力革命的时代，谷歌员工最主要的驱动力来自创造带来的成就感和社会价值。自我激励是他们的典型特征，他们最需要的不是来自外部的物质和精神激励，而是赋能，也就是为他们提供能更高效创造的环境和工具。这与传统的体力劳动者，甚至与一般的知识劳动者有根本区别。以科层制为特征、以管理为核心职能的传统组织原则面临着前所未有的挑战，未来组织最重要的职能应是提高整体创造力的成功概率，而赋能创造者是实现这一目标的唯一路径。

除了以上两点，传统管理型组织与谷歌这样的赋能型组织还有

许多区别，我将这些区别归结于表 12–1，希望能给读者带来些许帮助。

表 12–1 传统管理型组织与赋能型组织的重要特征比较

	管理型组织	赋能型组织
组织结构	树形或矩阵形	层级淡化，平台联网
信息流（对内）	自下而上收集，自上而下反馈	联通透明，实时同步
信息流（对外）	单一收集和输出通道（部门）	联通透明，实时同步
决策流	中心决策，向下分解推进	实时同步，在指标控制下自调适
资源分配和规划	集中规划，逐级分解	按需自取，弹性分配
内部协作机制	岗位定义职责，协作需要回溯汇报线；分工割裂，信息流低速	基于协同创新平台自组织，透明共享，协同竞争，一致迭代
价值导向	效益驱动	创新驱动，关注成长能力
风险偏好	风险最小化，规避犯错；信息和数据被保守控制而没有共享	追求透明、速度和创新自由，强容错能力，没有创新是最大的风险

可以肯定的是，在创造力革命已经来临的今天，未来的组织结构必然向着以创新为目标，实时感应客户，通过聚合和激发创造者，追寻创新效率最大化的协同生态体演进。赋能型组织之所以存在，就是因为其能将创造者所需的资源内部化，并通过协同机制激荡和倍增其创新能力，进而产生更高的效率和价值。或者说，赋能型组织的核心价值在于赋能，通过提供平台，让一群创造者更好地连接和协同，从而发挥更大的价值。

打造全新的赋能型组织

既然我们确定了未来组织的原则是赋能，而非传统的管理或激励，那么到底应该如何理解"赋能"这个全新的概念呢？我提炼了三个基本原则供大家参考。

匹配创造者的兴趣、动力与合适的挑战

典型的激励机制，例如期权奖励，偏向的是工作结束之后的利益分享，是假定如果没有足够的长期激励，员工不会积极主动地按公司希望的方向努力，所以要用事后的物质奖励让员工和公司的长期利益倾向一致。但在创造力时代，员工往往是自我激励的，所以赋能要强调的是给他们合适的挑战，从而激发创造者的兴趣和动力。唯有发自内心的志趣才能激发持续的创造，命令不适用于他们。因此组织的职能不再仅仅是分派任务和监工，更应让员工的专长、兴趣和客户的问题有更好的匹配，这往往要求员工拥有更多的自主性、更高的流动性和更灵活的组织性。我们甚至可以说，是员工使用了组织的公共服务，而不是公司雇用了员工，两者之间的关系发生根本变化。

我曾经看过一篇关于小米的报道，文章讲述了小米的 7 年成长历程，其中有很多对基层员工的采访。让我感触最深的是在小米

公司里有很多来自谷歌、微软等知名企业的工程师，他们之所以愿意以比较低的薪酬加入小米，并且心甘情愿地承受"996"工作制（早上9点上班，晚上9点下班，一周工作6天，这是不少互联网公司的基本工作状态）所带来的巨大压力，最主要的原因就是他们能够在小米真切地感受到自己在创造全新的产品、在改变这个世界。这种自我激励和自我驱动让他们在小米过去几年的发展历程中化解了数次危机，创造了许多令业界震惊的奇迹。

打造环境和氛围，方便员工共同创造

在人才高度流通、竞争异常激烈的今天，创造型人才不会仅仅满足于物质激励，他们更关心什么样的组织能够帮助他们更好地实现自己的梦想和价值。对于价值观驱动并追寻自我实现的创造者来说，只有秉承同样使命和愿景的组织才能吸引他们，让他们心甘情愿地拥护和付出，并激发出源源不断的创新动力。

因此，赋能比激励更依赖企业文化，只有企业文化才能让志同道合的人走到一起。组织再也不能用传统的方法考核与激励创造者，公司的文化氛围对他们而言就是一种无形的奖励——和志同道合的人一起共同创造足以改变世界的产品，想想都是一件令人无比兴奋的事。一种和创造者的价值观、使命感吻合的文化才能让他们慕名而来、奋发进取，因而组织的核心职能将演变成文化和价值观的营造。

与过去跟随市场竞争环境不断调整的企业文化不同，共同的使命、愿景和价值观一开始就是凝聚组织创始人的火种（组织的价值观就是创始人的集体价值观），并成为组织长期坚守和增强的精神内核。价值观不会轻易更改，正是这个内核吸引着志同道合的创造者加入其中，参与共创，这是未来组织实现赋能最重要的一步。以"管培生"（管理培训生）方式在企业内部规模化培养人才的传统组织，这些年无论对顶尖人才的吸引力，还是持续创新的能力都非常乏善可陈。

最前沿的创新型企业都以鲜明的文化和价值观为特征。从谷歌对顶尖人才的推崇和不作恶的文化，到脸书的极客文化和连接世界的情怀，再到优步分享经济的理念和冲击传统模式的朝气与霸气，正是这些文化层面的激励，让硅谷甚至全世界最优秀的人才纷至沓来。在工业革命时代，共同的使命、愿景和价值观只是最优秀企业的奢侈追求，而在创造力革命时代，志同道合是对赋能型企业的基本要求。

因此，这些创新型领导企业的创始人都天然具有布道者的气质，无论是创办脸书的马克·扎克伯格、阿里巴巴的掌舵者马云，还是人送外号"硅谷钢铁侠"的埃隆·马斯克，他们改变世界的勇气和推动人类社会进步的初心，才是帮助他们凝聚顶尖人才的真正原因。

值得一提的是，志同道合的创造之路对应着全新的协作关系。在沃尔玛或者星巴克这样重视员工的传统企业里，员工被称为伙伴（associate），而在赋能型组织里，具有共同愿景和价值观的创造者被称为合伙人（partner）。与以能力、经验和人脉为核心的咨询公司或者律师事务所的论资排辈不同，新的合伙人关系赋予创造能力和价值观更高的权重。

在当今时代，科学家和研究人员正在以较大规模和较高的"组织地位"进入赋能型组织，如脸书的机器学习四大金刚之首的杨立昆（Yann LeCun），以及谷歌的无人驾驶汽车之父塞巴斯蒂安·特龙（Sebastian Thrun）。吸引这些顶级创造型人才的，正是这些赋能型企业里丰厚的研发投入和无可比拟的技术（数据）平台。通过这些，能够帮助他们实现自己创造的梦想。这种合伙人关系的奇妙之处，在于投入和忠诚并不需要组织来维护和定义。事实上，这些科学家往往自由地游离于企业组织和大学院校之间，坚定执着的价值观和创新追求是凝聚和激发他们的唯一动机。

通过组织设计，刺激人和人之间的有效互动

激励聚焦在个人，而赋能特别强调组织本身的设计，以及人和人之间的互动。随着互联网技术的不断发展，组织内部人和人之间的联系也更加紧密。研究指出，人和人之间互动机制的设计，对于组织的有效作用可能远远大于对个体的激励。

谷歌那些声名远扬的免费服务，其作用不仅在于提供员工福利和提高员工的生产力，更重要的一点是增加彼此互动的机会，进而提高共创的可能性。我2009年参观谷歌公司时，注意到这样一个细节：谷歌员工餐厅的等待时间一般不会超过4分钟，这个时间正好让人可以简单地寒暄和交流；如果等待时间大于4分钟，人们往往就会拿出手机各干各的事。谷歌公司的良苦用心，由此可见一斑。

创造需要灵感，这件事情本身难以具体规划，组织能做的只是

为他们提供各自独立时无法得到的资源和环境，最重要的是让他们能够得到充分互动的机会，有更多自发碰撞的可能性，只有这样才能创造更大的价值。

继续用谷歌举例。5个谷歌员工在打台球时，恰好碰上创始人对公司的广告质量公开表示不满，他们在聊天中碰撞出了一个全新的思路。大家都很兴奋，自发地利用周末时间做出了产品原型。传奇就此诞生，在这基础上发展出了谷歌最重要的收入产品之一——AdWords（关键词竞价广告）。更为有趣的是，这5个人里没有一位是广告部门的员工。

传奇的背后依然是一系列配套机制的设计：在谷歌早期很长的一段时间内，在拉里·佩奇自己主持每周五下午召开的员工大会上，公司所有正在进行的项目都会公布，员工可以挑战和讨论；员工有很高的自主权，可以跨部门调动资源；等等。因此，促进协同的机制设计才是未来组织创新的重要领域。

赋能的这三大基本原则又如何落地，成为你企业的原生DNA呢？根据以往的工作经验，我将赋能的运用方法同样提炼了三点。

第一，文化的营造。从协同的角度来说，组织必然是一个价值共同体。只有组织内的个人、团队，或局部的创新努力与整体的价值目标一致，才能获得最大的创新效率和价值实现。对于一个企业而言，文化的重要性毋庸置疑。在这个大变革的时代，你是否坚信自己的企业文化，甚至以布道者的心态去传播、去吸引真正志同道合的人走到一起呢？

阿里巴巴推出了合伙人制度之后，有很多公司效仿，但是我注意到，其中不乏东施效颦的现象。合伙人制度的本质是志同道合，需要合伙人之间拥有相同的理想和愿景，而很多公司的合伙人制度实际上将志同道合的团队变成了利益分配的团伙，完全是南辕北辙。

第二，人才招聘。正是因为管理不再重要，自激励成为创造者的一个典型特征，所以找到合适的人就变得格外重要，人才招募也就成为企业中不容忽视的一个环节。无论是谷歌还是脸书，它们都不仅愿意用最具竞争力的薪酬和福利向应聘者表达诚意，还在招聘流程和能力上投入较多的资源和时间，对每一个应聘者的评估也都建立在与团队充分的互动和了解之上。

在很长一段时间内，拉里·佩奇都坚持亲自面试每一个工程师，后来伴随公司规模的扩大，这项工作过于繁重，实在难以为继，但他还坚持了很长时间亲自审核招聘合同。在脸书，马克·扎克伯格亲自打电话力劝一个普通的工程师或者数据科学家加盟的故事也屡见不鲜。

找对人比改变人更重要。只有合适的人加入，才能吸引更多合适的人，把时间用在找人上是十分明智且至关重要的选择。

第三，心力的大量投入。时代变了，企业高管团队的管理职责同样发生了巨大改变。在传统企业治理中，高管大部分的精力都是用在对员工的监督管理之上，实际上，如何提供一个平台让创造者之间能够有更多的互动，甚至产生跨界交流，进而让整个团队拥有更为出色的创造力，才是组织创新领域非常重要的新话题，需要大家花费更多的心思去探索和琢磨。这将是拉开企业差距、区分企业竞争力的分水岭。

13

自组织协同网

伴随组织原则的改变，相应的组织架构和运营法则也正在发生重大且根本的变化。赋能的组织观念呼唤着赋能型的组织结构。基于科层制结构、以管理为核心的传统公司架构，会演变为以赋能为关键词的创新平台。这种全新的组织结构能让一群创造者更自由地联结、更顺畅地协同、更高效地共创。可以预言，在智能商业时代，传统公司将大批消亡。

强大的创新中后台

与商业语境中的平台模式一样，创新平台提供基础设施和环境以赋能，使得异彩纷呈、无限可能的交互和创新，以极低的引燃点和极高的效率发生。赋能与平台本就是同一个棱镜的两面，一为功能目标，一为实现模式。平台为创新赋能者而非主导者，创造人才的主观能动性才能被充分释放，创新才能在最自由的空间里被孕育和被激发。

创新平台包括创新中后台、平台协同机制，以及相适配的文化和环境。其中，创新中后台指的是创新所依赖的可共享的各种资源和基础设施的协作平台。中后台通常由许多不同层级、互相连通、形成复杂结构的子平台系统组成。

以阿里巴巴这样一家数据驱动的商业创新公司为例。中后台包括基础数据存储和技术平台阿里云，人工智能和机器学习引擎DTPAI（数据技术人工智能平台），代码、算法、模型的共创平台，项目管理和工程平台，以及应用层面的商业智能分析、调研、设计和开发应用平台等。这些子平台系统以统一的标准、协议和流程规范，畅通连接和共享，而创新的资源调度过程就如同将这些不同层级的组件进行搭配连通的乐高游戏。

一个组织越要求前端反应灵活、创新，就越需要中后台用平台化的方法提供支持和服务。传统企业的典型架构是前后台一体化，从产品到技术再到运营，是一个垂直整合的架构。阿里巴巴这几年做的最重要的事情就是试图打破这种烟囱式的结构，把能够共享的中后台资源尽可能地整合在一起，用更高效的方法提供出来。

举一个最简单的例子。现在，几乎所有人都在强调数据的重要性，但是我们很早就意识到在阿里巴巴内部数据都是割裂的。我们可能有近百个团队都在用自己的方法定义数据，甚至对于一个用户的性别判断，不同的团队都在尝试不同的方法。所以当你试图用数据创造新价值的时候，会发现完全没有一个合适的基础设施支持这样数据驱动的创新。

为此，阿里巴巴专门成立了一个团队——数据中台。这个团队从事的是一项异常辛苦的工作，就是进入每个业务部门去做沟通，然后把它们的数据定义、计算、存储全部标准化之后，放到一个统一的平台上。这样一来，将来任何部门需要对数据进行调用，都会有一个统一的数据库，而且在使用数据的过程中，所有的变化都会被平台跟踪，这样将来它们所取得的任何有附加值的服务，别的团队都能共享。然而，即使经过一个几百人团队三年的努力，我们也仅仅统一了集团一半多一点儿的数据业务。

那么，这样的中后台最关键的特征是什么？

13
自组织协同网

透　明

因为透明，每个人都能清楚地知道其他平台参与者的工作，如做了什么、怎么做的、有什么特点和结果，以及如何复用和修改。这不仅意味着包括数据、代码、元数据和描述文档的充分共享，还是对协作规范一致的认知和恪守。

在国外顶级的技术公司里，这种行为准则与所谓的工程师文化或者极客精神一脉相承，是精益求精的工匠精神的高科技版本。互联网的创新者崇尚技术和创新能力，开放的协作平台让每个人的贡献得以一致、透明、公平地被评估和公示，从而形成正向激励的学习和竞争。

共　创

在技术驱动的公司里，工程师文化成为公司文化的底层基因。对于一名工程师来说，自己的创新工作在内部被接受和被分享就是莫大的认可与奖励："我第一次写的算法不久就被其他部门复用了，这让我感觉很骄傲，从此我写代码更认真、更小心，我希望别人看到完美的代码。"透明和分享使共创成为可能。在这个过程中，每一次创新都基于过去许多的创新实践，而不用闭门造车、重复建设。每一次创新同样在中后台的平台上沉淀，智能、技术、经验、模式都以这种机制日益丰富，共同迭代，从而形成难以被其他平台超越的创新壁垒。

　　这样强大的中后台让创新的成本大大降低，效果也会大大提升，甚至单枪匹马的创新者都可以借助平台的支持，像杠杆一样撬动巨大的价值。

　　在脸书内部，有一套工作流软件：它要求所有工程师对于任何产品和技术的讨论，以及他们所写的任何代码，都必须被记录在这个工作流软件当中。只有这样做才被认为是在有效工作，任何没有被记录下来的信息，都不认为是他们的工作，也得不到认可。这样一个工作流体系，实际上相当于一个企业的知识库，里面包含了每一个工程师所写的每一行代码，这样，企业就可以随时查看5年前这个产品背后的逻辑——它的代码为什么是这么写的。这就变成了一个共享知识库。

　　当然，这样做的附带好处是非常让人震撼的，这就是平台相对于管理的效率。在脸书，晋升在很大程度上不需要重新被讨论。你的能力到了什么程度，你该不该晋升，只要看你最终在这个巨大的知识库里面贡献了多少代码，你的代码被多少人重复使用，你对整个组织的贡献就一清二楚地呈现在大家面前。这样一种平台性合作所提供的价值要远远大于传统管理中每个人都在自己密闭的环境里工作。

　　强大的中后台让创新以最小的代价、最高的效率得以实现。中后台的能力对应于小团队，甚至单枪匹马的创造者，并能够用创新来撬动价值实现的杠杆系数。无论是在谷歌、必应还是在阿里巴巴，一个小小的算法创新就会带来亿万量级价值增益的故事屡见不鲜。强大的中后台同样简化和提升了复杂的创新协同的效率。产品经理和业务团队可以根据场景和设计来调用算法模型，配置参数，从而完成一个数据智能驱动的产品创新，甚至无须算法工程师或数据科学家的直接参与和帮助。

自由连接，网状协同

在赋能的模式下，组织结构也将顺应变革。由于管理被淡化和高度信息协同的需求，传统树状或矩阵结构的部门和层级区分将随之消融，取而代之的是连通一体、柔性结织的协同网络模式。

传统公司里的组织结构叫作科层制，也就是典型的自上而下的树状结构，指令层层上传下达。在新的组织里，组织架构的形象更像一张网，组织里的每个点都与其他所有点实时相连，确保任何脉动都会及时同步到整个组织中。

组织与客户之间也是网状直连，来自客户的任何信号都由组织内相应的网络结构实时接收，协同决策，并给出实时反馈。组织架构正在发生根本性的变化，从传统的组织结构入手变成从工作流入手，重构整个公司的内部结构。工作流的特征是一个任务的完成，需要各方协同，信息必须实时触达各方，然后让相关的人做出合适的反应来把这个工作完成，再传递到下一个工作。

举一个大家都很熟悉的例子——客服部门。这又回到我在前面讲到的"客户第一"为什么在传统企业很大程度上只是一个口号，因为客服部门虽然口头上被认为很重要，但实际上在公司内部往往地位都很低。他们在向客户提供服务的时候，因为没有资源，仅仅是在做一些信息导流和简单的客户情绪安抚工作，并不能真正解决客户的实际问题。

如果要真正解决客户的实际问题，一定要给这些客服人员赋能。赋能实现的前提条件有两个：

第一，信息流要畅通。要保证能够让客服人员看到所有与客户问题相关的信息。

第二，透明。整个相关的工作流，以及以工作流为基础的节点都要做到透明化，要让客服人员知道任何一个问题到底牵涉哪几方，以方便他们找到责任方，调动相应的资源解决该问题。

所以任何一个人在这个协同网上都能够根据需要获取相关信息，调动相应的资源，在那个节点上解决问题。这不像传统企业，所有的信息都在自下而上的科层制中被层层衰减，最后上面并不知道实际发生的问题，上面传达下来的指令也会层层衰减。

在阿里巴巴，我们过去几年在这个方面花费了大量精力。我们尝试将整个公司所谓的管理软件，也就是传统的ERP管理软件重新改造成尽可能基于工作流，让信息流可以在所有相关方有效地流动起来。

现在，大部分的公司还处于IT时代，它们强调的是ERP管理，而ERP是把过去管理比较有效的方法，通过软件的方式沉淀下来，它是对过去管理经验的一种提升。我们需要的公司内部信息架构，其实是在支撑一个不断扩张的创新体，所以信息的自由流通以工作流的方式重构组织结构是非常大的一个挑战。

在线实时的动态目标矩阵

我们虽然在前面讲了这么多关于赋能的美好方面，但是如果一家公司在传递这些理念的过程中，它的实际运营却还是以传统KPI（关键绩效指标）来考核、管理、奖励，那么员工依然会被实际的激励机制束缚。

所以摆脱KPI的惯性制约，从传统的KPI管理走向一个在线动态的目标矩阵，这一点非常重要，这也是当前组织创新非常难但又必须跨越的一道坎儿。那么，如果我们不管理，不靠首席执行官来命令，新的组织靠什么运行？我们如何知道组织是健康的，是在正确的方向运行？我们怎么让每个人可以真正的协同起来？

领先的互联网企业经过这些年的摸索，充分利用了技术优势。我们看到了一些很有趣的代表未来的新方法，其中最核心的就是所谓的Matrix体系，我把它翻译成"目标矩阵"。其中有一些和以前非常不一样的做法。

KPI实际上往往是被简化的一两个考核指标，也就是第二年的销售是多少、收入是多少等。实际上，很多企业的战略都妥协了，因为KPI不能反映战略真正的要求。我们现在的业务越来越复杂，特别是类似谷歌、淘宝这样生态型的企业，其复杂度已经超过任何人能够简单地靠直觉或者数据判断的程度。

所以，所谓的目标矩阵就是用完全数据化的方式来测量、评估和监控创新。一方面，要对现有的业务实现完整的数据化；另一方面，要用数据化的方式定义一个企业试图优化的方向，也就是所谓的价值目标函数。比如淘宝，以前我们可以很简单地用这个平台每年销售了多少万亿元的商品和服务作为一个考核指标，但这个考核指标忽略了太多的重要因素，比如小卖家是不是有成长通道、企业的赢利能力、竞争环境等，这些因素都没有办法被考核。

目标体系则可以对整个生态都用数据化的方式来衡量、监控。比如类似淘宝要有一个生态健康的动态整体衡量。对于生态健康，我们可能很难抽象地用一个定义来决定，但是我们也可以用几百个、几千个、几万个指标，基于数据智能这种优势来动态地模拟一个可能的健康生态。虽然这个指标一开始可能并不准确，但是它可以迭代优化，最后越来越接近健康生态可能真正的状态。

目标体系代表了大家未来追求的方向，这个方向也不再是一个口号或者一个很朦胧的目标，它可以被具化成一套数据，这个数据又跟我们的业务属于同一套目标体系。这样，我们就可以完整地看到每个业务单元以及整体业务方向，或者说组织所要追求的方向之间的关系。我们不会再割裂地评估任何一个小单元的贡献，而是会从全局的动态优化角度考虑这个组织应该如何调配资源，下一步应该往哪个方向努力和改进，才能保证长期目标的有效实现。

华为创始人任正非有句名言，"让听得见炮声的士兵做决策"。实际上，如果没有公司组织架构的根本变化，这根本无法实现。在传统的组织结构里，士兵无论如何也是无法调动炮火的。在伊拉克战争之后，美军一个最重要的变化就是各军种全部平台化，并成为支持部门，同时做到高度信息化。所以美军的目标是前线的一个连长能指挥的炮火，是整个伊拉克战场司令员能指挥的炮火。

"让听得见炮声的士兵做决策"，其实有两个前提条件：

第一，将中后台变成一个协同网络。只有把中后台变成一个协同网络，士兵才能成功调动相应的资源。

第二，这个士兵必须有足够的判断力。把决策的权力直接从一个所谓的战区司令下放到一线的士兵，这个士兵不可能是一个初中生，他本身就应该是一个有非常强大的综合技能的高端人才。唯有如此，他才能真正调动后端的炮火。

这是组织原则中非常重要的一点，个体越来越强调专业知识，特别是综合判断力和创造力，整个组织的结构相应地也要网络化、平台化，来支撑任何一个个体根据需求调动资源的能力。在传统的格子化、封闭化的组织结构下，所有个体都被封在一个非常小的区域内，既看不到全局，也不可能调动超出权限的资源，局部的决策效率完全没有根据全局的需要优化。

因此，总体来说，"让听得见炮声的士兵做决策"，既需要一个非常强大的指挥体系（平台的能力），还需要前线人员大幅提升能力和装备水平（端的能力）。两者结合，才能打破传统管理的边界，创造全新的价值和效率。

最直接的例子就是，当众多的O2O公司还在为自己几万人的地推团队的"管理经验"而沾沾自喜时，优步却以不到十人的团队运营一座大城市，这让我们感受到了新型组织的超强战斗力。所有城市运营都建立在全球统一算法平台上，所有团队间的经验共享平台，以创始人为代表的强大文化，鲜活地显现了我们总结的新型组织的特征。

组织的目的是激发群体智慧，让人在一起能够完成更复杂、更艰巨的事业。我们所处的时代由网络协同和数据智能驱动，这是群体智慧和机器智能相互作用、协同演化的进程。未来的组织必将实现全新的协同方式，也必将时刻依赖数据和算法。

未来的组织会是怎样一个形态？之前说过，我认为它们很可能会是志同道合、自由联结、协同共创的合伙人之间形成的智能演化生态体。

一致坚守的价值观提供了组织最基本的凝聚力和内驱力，并定义了组织创新的目标和演进方向。强大透明的创新平台提供了协同创新的基础设施，可以让团队比较自由地重组、协作和共创，让敏捷的小前端团队能够最迅速、最有效地整合资源，撬动最大的创新价值，同时逐步沉淀创新能力，为中后台积累经验和知识，为未来的创新赋能。

动态的目标体系作为组织的智能信息系统，及时同步了组织内外的数据和信息，让整个组织和创新的每个部分都能相互了解、共同配合，从而实现实时的全局调试和优化，确保组织和创新向着正确的方向迭代和演进。所以，我们看到外部的商业环境是由网络协同和智能生态推动的，组织内部实际上也在贯彻同样的网络协同和数据智能原则，做到了内外一致。

第五部分

案例分析

在所有成功的企业和优秀的品牌身上，必定存在智能商业的影子或者雏形。接近它们，了解它们，审视它们，不仅可以让我们知道脚下的路该如何去走，也许还能让我们看到未来的趋势和方向。

14

淘宝的演化

淘宝现在的复杂生态，不是由马云计划出来的，而是根据商家和消费者在不同阶段的不同需求演化而成的。事实上，成功的企业大抵如此。深入了解它们的发展脉络，不是为了简单复制它们的商业传奇，而是尝试挖掘暗藏于传奇背后的未来商业基本规律。

社区属性与网络协同

　　淘宝的成功吸引了无数人的关注与研究，在深感自豪的同时，我也想提醒大家，想要真正了解淘宝，不能只观察淘宝如今的局面。毫无疑问，通过网络协同和数据智能双螺旋循环上升快速演化，现在的淘宝已经成为一个非常复杂的智能生态系统。我们今天所能看到的淘宝都是结果，而非原因。

　　想要从淘宝获得充分的创业启示，需要回到淘宝的创业阶段，了解当时究竟发生了什么、是什么奠定了一切演化的基础。这些暗藏于淘宝生态发展史背后的逻辑，对大部分创业者来说可能更有借鉴意义。

　　让我们先将目光聚焦于 2003 年，彼时的马云刚刚用他的信用卡购买了国外的一款软件，建立了一个现在看来十分简陋的网站，淘宝网就此诞生。淘宝早期的核心，其实是一个社区，这一点可能出乎很多人的意料。

　　我认为淘宝之所以能从社区成功地演化成协同网络，与它的起点或者基因是一个社区有很大关系。在梳理淘宝的生态发展史时，我们曾采访过早期的一批淘宝卖家和各方参与者，甚至包括淘宝当时的一些员工，最后提炼出一个主题词——"我们"。那时，这些受访者都将淘宝视为"我们"自己的"孩子"。这种高度的认同感，支撑着初生的淘宝高速发展并扩张成为一个协同网络。如果不是当时淘宝的社区属性，我想不出"我们"愿意全情投入，协力建立这样一个利益共同体的其他原因。

我在 2006 年全职加入阿里巴巴，那时的淘宝社区十分活跃，我每天都要花将近一个小时的时间"泡"在论坛里。通过论坛，你可以及时掌握卖家和买家的思维动态，或者淘宝网又出现了哪些新鲜的东西。

早期的淘宝就已经拥有共建的概念，这就是我想说的第一点——你的基因里是否拥有社区元素决定了你能否成功构建像淘宝这样的平台。

孤例不成证，我们不妨将淘宝与京东商城进行对比。京东之所以会走上如今的道路，与刘强东最早就是一个线下零售商和批发商有关。淘宝的起点则是社区，是在线 BBS（电子公告牌系统），二者的基因不同，演化的路径自然大相径庭。

那么，淘宝为何会从社区逐渐演化为多角色协同网络？原因有两个。

极具社区属性的"淘宝讲师"

对于现在的人来说，开家淘宝店可能是一件再简单不过的事，而在电脑尚未完全普及、互联网相关概念与知识也未曾深入人心的那个时间段，淘宝卖家都是所谓的相对弱势人群，让他们熟练掌握在淘宝上开店卖东西的相关技能和注意事项，并不是一件太容易的事。

好在早期那批淘宝卖家的社区认同感极强，他们大多愿意在社群里分享自己的心得体会与技巧窍门，有时甚至包括自己曾吃过的亏、走过的弯路。这些人，后来被我们称为"淘宝讲师"。因为拥有社区认同感与成就感，很多淘宝讲师都是免费帮忙，分文不收。他们无偿地将自己的淘宝经验分享给其他卖家，在客观上带动了卖家的快速增长以及整体卖家服务能力的提升。

平台做基础服务，第三方做增值服务

随着淘宝销售额的快速攀升，原本简单的店铺结构已经无法支撑日益庞大、复杂的买家人群，淘宝店铺需要变得更加复杂和美观。针对这种客观存在的卖家需求，淘宝内部其实也出现了不同的声音。开始时，主张所有卖家店铺都由淘宝自己设计的声音占了上风，毕竟这种业务也能为淘宝带来不菲的额外收入。

很快我们就意识到，如果淘宝想服务海量用户，所有的事情都由自己完成只会导致团队臃肿与效率低下，最终的效果也无法让消费者满意。毕竟，当时的淘宝团队还没有为几十万卖家同时提供设计服务的能力，我们只能为卖家提供一个最简单的基础产品，对于大部分卖家所需要的个性化产品，应该交给更为专业的人去做。什么都想做的结果，只会是什么都做不好。

在店铺装修这个重要的场景下，淘宝第一次有意识地区分哪些是平台该做的事，哪些是"面"应该让利给"点"的事。淘宝只为卖家提供一个最基本的产品版本，如果卖家有更高的个性化需求，可以找独立的第三方来完成。在这样的指导方针下，通过淘宝赚钱的人群中，除了卖家，还增加了一个新的群体——软件设计师，他们用很简单的软件帮助淘宝卖家进行店铺装修。

由此及彼，这种风潮很快从店铺装修蔓延至与网店相关的其他业务层面。从客户服务到各种各样的运营商，还包括物流服务商，都形成了"第三方提供服务，淘宝提供平台连接"的新思路，开放性的协同网络由此而生。我们不再想着所有事情都由自己完成，而是让不同的人参与淘宝的协同网络，共同推动平台发展。从这个意义上讲，网络协同的基因由此注入了淘宝的肌体。

2003—2008 年，淘宝实现了从 0 到 1 的野蛮生长，原因大致可归结为三大方面：一是由于淘宝讲师的无私付出与"赚钱效应"，卖家人数急剧增加；二是由于协同网络的日益发达，为卖家提供各种服务的新物种快速增加，其中包括我们之前说过的模特、物流和客户服务等各种新物种；三是由于有了各种各样的附加服务商，一些比较复杂的交易（甚至包括商品检测）都能在淘宝上在线实现，这便使淘宝类目大幅增加，只要是合法的商品，基本都能通过淘宝买到。

14
淘宝的演化

数据智能的又一次胜利

在淘宝由社区快速演化成一个不断自我扩张的电商平台的整个过程中，网络协同是当仁不让的核心驱动力之一。然而，当淘宝的协同网络发展到一定阶段时，一个新问题进入了我们的视野——淘宝越来越复杂，已经超过人力所能处理的极限。

我们在 2008 年就很清楚地意识到，类目的扩张已经不再像过去那样，能够对淘宝的发展发挥显著作用。对于用户而言，淘宝此时的浏览路径已经变得过于复杂且不再友好。在商品数量还比较少的时候，淘宝只有几大类目，比如男装、女装、儿童用品和食品等，消费者按照自己所需商品所属的类目点击浏览十分方便，仅需两三步操作就可以找到自己想要的商品。然而，当淘宝平台拥有几十万卖家和上千万种商品时，按类目浏览的效率大幅下降，消费者往往花了很长时间也无法找到自己想要的商品，这无疑是一种不太好的购物体验。

当协同网络发展到一定阶段时，你需要用数据和智能手段协调网络中非常复杂的交互关系。为了解决这个棘手的问题，淘宝完成了最重要的一次数据智能升级——引入搜索。搜索技术的这次突破，很大程度上归功于雅虎中国多年的积累。在阿里巴巴收购雅虎之后，我们将其由 200 多名技术人员和产品人员构成的技术团队全部搬到阿里巴巴的大本营杭州，用于支撑阿里巴巴的 B2B 业务和淘宝的技术升级。数据智能升级的效果极为显著，2008—2011 年，淘宝的流量占比之王很快便从类目变成了搜索。

除此之外，当协同网络中的多方利益相互纠缠时，如果没有一个足够智能与自动化的利益分配机制，协同网络同样无法继续快速扩张。为此我们引入了效果营销，也就是竞价排名的广告模式，即前文介绍的精准广告平台。通过这个平台，我们将小广告主（淘宝上的小卖家）和淘宝搜索，以及站外很多小网站的流量全部加以连接。如此一来，大多数淘宝卖家都愿意给站外的小网站主一定的分成，前提是它们带来的流量能够带来成交。

这次利益分配机制的调整，实际上让我们在数据智能的基础之上又形成了新一轮的网络协同扩张，海量的小网站主变成淘宝生态圈的外围，它们直接为淘宝导入流量，而这些流量在为站外小网站带来直接回报的同时，也让淘宝卖家的销量得到了显著提升，可谓一石多鸟，互惠共赢。

在这次收效显著的尝试之后，淘宝更加坚定地对第三方服务商提供服务的软件平台予以大力支持。如果所有的服务商都针对不同的卖家提供服务，那么服务商之间的标准接口问题就会成为很大的挑战。为了解决这一难题，淘宝提供了一个统一的商家服务平台，各种各样的软件服务都能在这个平台上发布，商家可以整合不同的服务商来完成自己所需的软件服务。一些体量较大的商家往往会在淘宝平台上买一两百个服务插件，这些插件中的绝大部分都由第三方服务商提供，而每个服务商的背后都代表一个个不同的协同角色。通过技术手段，淘宝得以将这些多元角色更有效地连接在一起。

14
淘宝的演化

回望淘宝的生态发展史，不难发现淘宝的演化正如海潮，一浪接一浪，一浪推一浪——网络扩张带来了新一轮的多元角色；越来越多的协同角色共同构筑并丰富了淘宝的协同网络；网络的日趋复杂化推动了关键数据智能技术的引入，提高了淘宝的网络效应；一个更为广大的网络，又有能力吸引更多的数据智能应用加入……循环往复，不断提升。正是在这样一轮轮扩张中，淘宝才能够快速演化成今天大家所熟悉、几乎能够交易所有商品和服务的智能生态平台。在这个平台上，各种旧物种和新物种都有自己生存和发展的空间。

毋庸置疑，我们可以在淘宝的案例中学到很多东西。如果淘宝在 2008 年前迫于盈利压力，过早地收取店铺费、上架费或者会员费，就会陷入传统商业模式的泥潭，其后那些数据智能的丰富运用很有可能都会被压制；如果没有在创立初期就刻在淘宝骨子里的网络协同和数据智能，想必淘宝难以形成二者双螺旋驱动的生态平台，更不用说突破千亿美元的市值瓶颈。企业早期商业原型 DNA 的重要性由此可见一斑。

无论多大的企业，其实都是从一个很小的原型中发展而来的，它的 DNA 是否符合时代的步伐，直接影响着它在未来的可能性，对其日后的每一步都会产生深远影响。

平台是生长出来的

在淘宝创立早期，其实我们对本书讨论的一切概念知之甚少。

当时的我们并不知道什么是平台战略、什么是平台生态圈，也对网络协同和数据智能的定义不甚了解。其实，不仅仅是淘宝，我相信如今所有成功构建生态圈的企业都是如此。这个世界上没有生而知之的人，没有人能够提前预见如今的时代，预见未来十年后的环境和市场。一切的变化都是自然发生的，在企业发展的过程中自我演化而成。淘宝是这样，腾讯也是如此。

如今，腾讯已经成为中国乃至全世界互联网行业的巨头之一，名号之响无人不知。但谁又能想到，如今无比繁荣的腾讯生态圈起源于一次偶然的失败呢？

1996年，三个以色列年轻人创造了一款叫作"ICQ"的即时通信软件，并且迅速风靡整个美国。一个偶然的机会，当时还是一个少年的马化腾接触到这款软件，这唤醒了他创业的心。就这样，1998年秋天，腾讯公司诞生了。

一开始，马化腾和他的伙伴只是想研发中国版的"ICQ"，并将这款软件卖给其他公司，从中获利。事情并没有按照他们预想的发展，他们开发出的这款名为"OICQ"的软件竟然无人问津，没有一家公司向他们抛出橄榄枝。

既然软件没有卖出去，就只能自己推向市场。可能就连腾讯的创始团队都没有想到，他们的软件甫一问世，仅仅不到两个月里就收获了20多万用户。如此成功的开局，给了腾讯团队强大的信心，在接下来的一段时间里，他们将所有的精力都用在了软件的后续开发中。最后，这只憨态可掬的小企鹅凭借自己简洁的界面和丰富的功能力压群雄，坐稳了即时通信领域的第一把交椅。

就在腾讯上下春风得意之时，却意外地收到了来自AOL（美国在线，ICQ的母公司）的律师函。因为涉嫌侵犯他人的商标，腾讯的这款软件必须改名，否则就有可能被诉诸公堂。就这样，"QQ"这个名字正式启用了，腾讯的扩张之旅也正式拉开帷幕。

到2001年，QQ的注册用户总数已经达到5000万，这只新生的小企鹅并没有因此而满足，反而再次加快了脚步。很快，腾讯不再满足于在即时通信市场中的霸主地位，这个朝气十足的团队将目光放在了更远处。2003年，腾讯全力打造的"QQ游戏"问世，受到了众多年轻用户的一致好评。QQ游戏是腾讯向即时通信之外的其他领域迈出的第一步，更为重要的是，当时可能连马化腾自己都没有预料到，QQ游戏的成功对日后腾讯的多领域发展，乃至构建自己的生态圈，有多么重大的意义。

2004年，腾讯在香港证券交易所挂牌上市。2006年，腾讯推出下载软件"超级旋风"和电脑保护软件"QQ医生"。2007年，"QQ输入法"问世。一系列围绕这只小企鹅的服务，让腾讯从单一的即时通信服务演化为一个全能的平台，走得更加稳健且不可撼动。

截至目前，腾讯对中国互联网领域，乃至每一个平头百姓影响最大的产品，非其于2011年推出的微信莫属。社交、阅读、游戏、在线支付……一切都可以通过微信完成。这一个小小的端口，为腾讯带来了无数的数据和流量，也让腾讯形成了基于微信的商业生态圈。

因为一款软件创办一家公司，又因为产品销售的失败使其不得不自己打市场，最终发展为即时通信领域的绝对霸主。腾讯在前期所走的每一步，都是在因缘际会下迈出的。和淘宝一样，腾讯也是走一步看一步，并不像大家固有的认知那样，这些企业大佬如何高瞻远瞩，如何搅弄风云。

我与大家讨论淘宝、腾讯等企业的发展史，其实想表达一个观点：平台不是设计出来的，而是自我演化的产物。

今天的创业者已经对平台的概念再熟悉不过，包括所谓的淘宝、腾讯等成功企业的创业经历。很多人在创业之初甚至在没有开始创业时，就慷慨激昂地说自己想要建立一个全新的平台。但是，这些人中的绝大部分在刚刚开始摆出平台的架子时，就已经走进死胡同。

平台不是设计出来的，而是生长出来的。换句话说，只要你的企业拥有足够好的DNA和初始化条件，它就有可能演化成一个平台。这是一个自发性的演进过程，而不是你在创业的第一天就设计好关于平台的所有架构，然后让企业按照你的设计一步步循规蹈矩地往前走。要知道，市场和环境瞬息万变，企业发展的方向如果不能及时调整，可能根本就无法生存，更遑论未来的发展。

看到这里，或许有些读者会产生这样的困惑：既然类似淘宝、腾讯这样的企业在早期的发展过程中，并未对我们今天所探讨的这些概念有一个清楚的认识，那么我们为何还要学习、思考这些概念，并认为它们十分重要？

我认为，其实这些企业之所以能够走得这么远、这么快，恰恰是因为在这些企业的发展里程里不自觉地糅合了这些原则。在中国如今的商业领域里，平台和生态的竞争已经是常态，如果不能有效地汲取先行者的经验，同时吸取教训，将这些概念更好地运用到企业自身的发展，我们也许会失去进入下一回合的资格。

15

新品牌：网红时代的品牌打造

品牌营销对于一家企业的重要性不言而喻，一个成功的品牌不仅代表着企业的形象，还要能够扛起企业宣传的大旗。但是，在传统的营销中，企业往往是先有战略，继而推出产品，然后是营销拉动，渠道铺货。这样的品牌营销属于面对消费者的单向传播，消费者只能被动接收。网红电商的崛起，意味着品牌营销开始互联网化，也为传统企业指明了前进的方向。未来成功的品牌营销，需要消费者和企业主动共建。

网红电商：
三级支撑下的爆炸性商业机会

互联网时代的到来，使得越来越多的行业、领域被彻底颠覆。正如谷歌颠覆了传统广告业，淘宝则颠覆了传统零售业。不知何故，对于任何企业来说都十分重要的品牌运营领域，却并没有因为新时代的到来而发生革命。互联网对于企业打造品牌的帮助，仿佛仅仅是为其多提供了一条传播渠道，但这样的简单传播远远没有发挥出互联网的潜力。

于是，从 2013 年开始，我就给淘宝的运营团队安排了一个额外任务——时刻观察淘宝平台的情况，看看是否生长出了一些新东西。在那个时候，我也不知道这个"新东西"是什么，会在什么时间出现。我唯一能确定的是这个"新东西"也许会迟到，但绝不会不出现。直到 2014 年下半年，我们突然注意到一个新现象的崛起，这就是现在大家非常熟悉的网红。

我们发现，淘宝的一批店铺很特别，它们从来不参加淘宝组织的各种活动，也从不依靠淘宝的流量。令人意外的是，它们的销量却出奇地好，而且销售期非常集中，经常是一个月内有一两天卖得特别好，在其他时间段内基本没有什么销量。这些店铺奇特的销量曲线和飞快的成长速度，很快便引起了我们的高度重视。于是，我们决定将这些店铺找出来，看看它们究竟是如何运作的。这些店铺，就是后来大家熟知的类似张大奕、雪梨这一批所谓的网红电商品牌。

顾名思义，网红即网络红人，是近些年来大家时常听到的现象级概念。一些人或团队利用互联网的影响力，让自己走上舞台，变成明星，形成明星效应。既然这些网红具有如此高的人气和受关注度，经济效益自然也就随之而来。

著名的网红"papi酱"，被人们称为网红中的奇迹。papi酱本名姜逸磊，是一个80后，出生在上海，毕业于中央戏剧学院导演系。她靠着在网络上传原创短视频而迅速走红，"粉丝"遍布大江南北，微博坐拥2000多万"粉丝"。2016年4月21日，她将自己的第一次广告进行了拍卖，最终以2200万元的天价售出。

网红电商是淘宝作为一个网络协同平台向纵深发展的新节点。这些店铺一方面在各种社交平台实现红人与"粉丝"（店铺的忠实或潜在买家）的充分互动，另一方面在淘宝平台完成商品的交易流程，而且背后还对接了一批初步实现快速反应式生产的厂家、理解市场需求的商品设计师、图片和视频拍摄的专业团队等角色。可以说，网红店铺本身就是更具丰富层次网状协同的集中代表，也是网络效应的最佳体现，让效率大幅提升，同时创造了巨大的价值。

很多熟悉淘宝的人可能听说过张大奕，她是淘宝网红的领军人物，之前是《瑞丽》的模特，后来经过漫长的积累和成长，逐渐演化成了自己品牌的老板，拥有自己店铺不少的股份。她刚开店时仅有 20 万"粉丝"，两年后名满天下，现在"粉丝"量已经超过 500 万，整个店铺的年销售额达到几亿元。

让网红爆炸成长的力量到底是什么？将来网红怎样才能够更好地利用网络协同打造自己的电商品牌呢？要想得出答案，我们不妨先来看看几个简单的数字。现在淘宝上有几家顶级网红，都在争夺第一的位置，雪梨是其中之一。2017 年 3 月 21 日，淘宝举办了一个名为"新势力周"的大型活动，雪梨的店铺上新（"上新"为淘宝用语，意为该店新商品上架开始售卖）之后一分钟营业额就突破 1000 万元。

其实，网红电商之所以能实现如此爆发式的增长，根本原因在于其对传统服装供应链的颠覆，极大提升了供应链的整体效率。这种效率提升的背后，就是网络协同的力量，它是典型依赖于"面"（平台）的支撑而高速发展的"线"。网红电商是非常创新的"线"，它们的成功源于充分利用了不同"面"提供的不同价值。

对网红电商进行进一步的剖析，我们会发现，网红电商其实充分地利用了三个不同类型的平台级服务：一是淘宝等电商平台；二是各类社交媒体平台，典型的如微博和微信，也包括很多新的直播平台；三是快速反应供应链平台。网红电商的成功，源于它们在这三个平台都得到了指数级增长的资源支持。

电商平台

在淘宝上，网红跟过去的淘品牌极为类似，都可以通过店铺工具和系统接触迎接海量的用户。因为淘宝能够承受巨大用户流量的流入,网红才能完成自己最擅长的饥饿营销,通过预售抢货的模式,事先预告上新时间,披露上新款式,充分吊足"粉丝"的胃口,让他们迫不及待地等待上新,然后进行疯狂抢购。

社交媒体平台

通过微博、微信、直播等社交媒体,网红电商能够跟海量用户直接进行沟通交流。这种沟通的优点不仅在于能够塑造自己的形象,构建"粉丝"社群,也能够通过"粉丝"测试新款。一般而言,网红店铺可以在上新前几个星期就开始发放商品的图片,然后根据"粉丝"的点赞、转发和评论,比较精确地预估产量,以及上新时应如何安排库存。这是快时尚的核心套路,不再像传统企业一样,需要店家猜想消费者需要什么,而是通过互动直接验证自己的预测。

快速反应供应链平台

浙江和广州这十年来逐渐形成了快速反应供应链平台,这些平台都在不断进行互联网化,打通与电商和社交平台之间的关节。网红电商的饥饿营销和预售模式,需要供应链发生根本改变,以实现快速反应的需求。这种改变的根源,在于预售卖完后网红电商需要大量补单,而补单必须在两周内完成。要知道,一般的"粉丝"往往没有太多的耐心,如果等待发货的时间太长,就会失去购买的意愿。一般的服装品牌一年大概也就是 4~6 次上新，而网红电商中的佼佼者甚至能做到两三个星期就有一次上新。因此，有大量返单能力的快速反应供应链平台便成为网红电商的一个重要支撑。

借助电商平台、社交平台和快速反应供应链平台的三级支撑，网红电商的社会效应和经济效应与日俱增，甚至形成了一种新型的商业模式。它的成功证明，随着互联网平台的进一步发展，平台与平台之间的融合互动日趋深化，单点突破的可能性越来越大，只要留心总有机会。

「 网红雪梨的故事 」

2017年3月21日上午10:00，网红雪梨的淘宝店上新。

10:01，成交额突破1000万元。10:05，成交额突破2000万元。当天，成交5000万元。

雪梨，1990年出生于温州一个普通人家，身材娇小，面容清秀，是典型的江南姑娘。

2011年底，大学三年级的雪梨和好友突发奇想，注册成为淘宝服装卖家。那时，两个人的钱加在一起不足3000元。

2017年，当年的小店成了400多人的公司。除了雪梨，公司还签约了十多个网红，运营她们的淘宝店。2016年，公司营业额10亿元，卖出200多万件女装。

作为对照，2010年是曾经现象级的电商企业凡客的巅峰之年。这一年，凡客估值30亿美元，拥有1.3万名员工，30多条产品线，产品涉及服装、家电、数码、百货等领域，当年的营业总额达20亿元。

"我卖的都是我自己会穿出去的衣服。"雪梨说。同行评论，雪梨对小个子、身材单薄的东方女孩的服装款型以及搭配，有着惊人的直觉和敏锐。

15

新品牌：网红时代的品牌打造

小店的最初是再经典不过的淘宝卖家故事：货源——服装批发市场；开店的两个女孩——雪梨是模特，搭档是摄影师，两人同时身兼客服、质检人员和仓库管理员；最初的买家——基本是同学和朋友。

当时，获取"粉丝"和与"粉丝"互动的最佳平台是新浪微博，于是，2012年底，雪梨注册了微博账号，从零开始积累"粉丝"。

在微博主页上，雪梨呈现的不仅仅是衣服，更多的是她的搭配心得、个人品位和生活态度。当时，其他人都用单反相机在摄影棚拍摄，雪梨第一个用手机在街头拍照，把非常生活化的照片上传到微博和淘宝店里。

每次上新，雪梨提前一周节食，用10天时间拍照和修图，追求真实感和随意感。至今，所有照片的修图、调色都由雪梨自己完成。图片就是雪梨和"粉丝"互动的语言。

照片成功地展示了"粉丝"向往的生活：个性化的服装和妆容，有质感的餐厅、咖啡厅，精美的食物与下午茶。偶尔，雪梨也会呈现自己的迷茫和疲惫。"粉丝"感同身受，因为雪梨就是那个更好的自己（a better me），而非遥不可及的明星。她们如此相似，以至在雪梨与"粉丝"的合影中，难以分辨谁是网红、谁是"粉丝"。

与前辈相比，在网络上长大的90后，购物更像是生活态度的表达，而非单纯对性价比的斟酌。对于他们，真实形象的引力超过精心塑造的完美（传统品牌），网红作为人格化品牌开始崛起，并成为现象级的趋势。

2017年，在微博上，雪梨的"粉丝"量超过350万，而在淘宝上，她的店铺"粉丝"量超过650万。

其实，人格化品牌并不是网红的全部。

几年之后，雪梨她们才听说了"柔性供应链"这个词。

2013年，雪梨很快遭遇到同质化竞争。为避开竞争，她们选择了定制。她们的每件产品标题上都写着"独家定制"，让用户相信，此时此刻，这件衣服，只有这家店铺里面有。

比独一无二更重要的是定制，通过在微博上与"粉丝"实时互动进行销量预估，再随时追加生产，让雪梨她们几乎没有库存。其实，库存会吞噬服装行业30%以上的利润。

开始时，一款衣服定制50件、100件。如果不是雪梨的温州背景，这种产量基本无法起步。半年后，每款都达到2000件以上，她们对工厂有了谈判能力。

这个工作模式要求一两个月出一批新款。10天设计新款，20天生产。上新之前七天，在微博上剧透（发布预售信息），根据剧透时的用户预订情况，上新前就开始翻单。比较好的款，在上新前会翻单两三次，上新当天之前，每天都下单补单——几乎没有传统服装厂愿意这样与她们配合。

当时的雪梨并不知道，她们所要求的工作模式就是全球制造业正在努力的方向——柔性供应链。全球服装业老大ZARA正是基于这项核心能力而迅速崛起。

一些早期的批发市场伙伴转型成为设计工作室，加入这个成长中的柔性供应链。上新前整夜不眠、紧盯着微博和每一条留言的，除了雪梨和她的团队，还有设计工作室的老板们。

更上游，一个新群体——"厂二代"，正在陆续加入。中国服装生产厂的二代，在有限的话语权内努力尝试新事物。这样的协同，尽管初级，但指向了未来。4年下来，雪梨和她的"粉丝"，以及她的合作伙伴形成了一个有机的生态社群。每次上新，剧透，评论，预订，成交，晒单，是这个社区的共同事件。一批核心"粉丝"一直伴随着雪梨共同成长。

品牌互联网化的创新打法

随着网红电商的影响力快速提升，它们的队伍也日渐壮大，有好事者还为这种现象取了一个专有的名词，叫作"网红经济效益"。疯狂崛起的网红经济效益引来了越来越多的传统商家、企业的窥探与模仿。商机一旦被人知晓，就会迅速变为潮流。一时间，网红成为一种红极一时的社会现象。

其实，打造网红的过程和那些娱乐公司打造明星的过程，在某种程度上是相同的，几乎都是像流水线一般培养、推出。比如网红运营机构就是从传统的淘宝运营直接转型为网红孵化的。它们在第一时间疯狂抢占市场，占领社交电商的流量入口。随后，再由自己打造的团队配合供应链系统，为网红店铺提供产品与供应链支持。

在传统商业时代，流量的入口是有形的，大多集中于那些一线商圈的实体店。到了互联网时代，最大的流量入口已经变成淘宝的搜索框。在下一个时代，我认为流量入口的天平很可能会开始向那些有大量"粉丝"的网红倾斜。如今的传统企业必须进行思考，审视自己的企业品牌是否能在这样的时代存活；自己的品牌与那些网红相比，究竟有没有一战之力。

我们同样以上面提到过的张大奕为例，来看一下成功网红品牌的打造之路。既然张大奕是模特出身，她的淘宝店自然以女装为主。

凭借自身的外形优势和对服饰潮流的敏锐嗅觉，张大奕很快就有了自己店铺的第一批"粉丝"，这个队伍还在不断扩张。在淘宝的第一年，她的店铺就实现了从0到"皇冠"（淘宝店铺等级，好评超过1万笔就被称为"皇冠"卖家）的突破，更让人难以相信的是，其"粉丝"的复购率几乎达到百分之百。

张大奕的成功，靠的绝非仅仅是运气或者所谓的时势，而是她对"粉丝"的耐心与责任心，以及她的颜值、个性、品位等一系列的原因。有一次，一位"粉丝"对张大奕店铺中的一款围巾提出了质疑，认为这条围巾的价格太贵了。这个问题引起了张大奕的注意，因为这样的问题对于商家来说是无法避免的，也是消费者与商家之间一条看不见的信任鸿沟。为了打消"粉丝"的顾虑、赢得消费者的信任，张大奕专门拍摄了一条长达5分钟的小视频，详细剖析了这条围巾的价值所在。这一举动赢得了大量"粉丝"的赞赏，飞速上涨的销量就是最好的证明。至于在评论区与消费者互动，耐心回复所有的问题和质疑，还有在微博等平台上发布照片、文章，赠送礼物等更是家常便饭。

有数据显示，在2016年的"双十一"购物节，张大奕的店铺成为首个销售量突破1亿元的女装店。2017年初，张大奕的个人微博"粉丝"量更是达到将近500万。拥有如此庞大的"粉丝"队伍，张大奕的店铺想不火都难。艳羡之余，请大家不要忽略另一组数据：截至2017年2月，张大奕共发布了超过1万条微博，回复的评论更是不计其数。这才是她能够成为人们羡慕对象的根本原因。

需要强调的是，虽然每一个网红的发展路径大多不同，并且大家对于单个网红能不能真正算得上品牌、未来能不能演化成品牌、网红品牌有多大的可延续性等问题还有很大的争议，但我认为，单就网红现象本身，就已经值得大家深入观察和思考了。

其中最有研究价值的莫过于网红现象背后的根本性变化，我将其总结为市场和品牌的互联网化，而这无疑是之前两个大浪潮（广告互联网化和零售互联网化）的延续。

网红经济的出现，终于让我找到了用互联网的思维、方法和模式做品牌运营的门道，且听我细细道来。

一个典型的网红，其实往往从类似新浪微博这些平台上开始积累自己的"粉丝"，她们在微博或者微信里，聊的往往都是一些非常生活化的场景，比如穿什么衣服、如何进行服饰搭配、参加了某个活动、到哪儿旅游等个人话题。她们甚至会和"粉丝"讨论一款服装的设计细节，在网红的淘宝店里还经常能看见"粉丝"为网红加油鼓劲、网红对"粉丝"一一答谢的场景。网红的运营机制与C2B模式的客户第一、客户驱动原则极为吻合——先跟客户产生连接和互动，在此基础之上形成认同，然后才有品牌。换句话说，品牌是网红和"粉丝"共同创造出来的社区认同的结果。

每个人从出生起就是一个独立的个体，这样的属性优势与劣势同样明显。优势是每个人都有自己的个性和特点，劣势是每个人从本质上都是孤独的，渴望被关注和理解。正因为有这样的需求，人类组建了社会，选择了群居生活抱团取暖。互联网的诞生、移动通信工具的进化，使得人们进行交流的限制被无限缩小，人们越来越容易找到自己的圈层。网红电商之所以能够得到"粉丝"的狂热追捧，就是因为他们敢于表达自己、展示自己的个性与心情，这样的属性自然能够吸引越来越多的有相似性格的"粉丝"加入。

随后，这些网红电商通过自己的喜好和价值观，对所有的商品进行归类和划分。让有同样认知的"粉丝"能够找到自己想要的商品，如"清新""霸气""低调"等词语，成为新一代商品的标签。说到这里，我发现其实网红电商的模式非常符合C2B模式的理念，而C2B是未来最核心的商业模式，拥有无与伦比的模式优势。从这个角度看，网红电商的快速崛起是商业发展的必然选择。

说完网红电商，让我们回过头来将其与传统品牌进行对比，你会发现其中的显著差异。

品牌打造方式不同

前文提过，一个企业先有战略，再有产品，然后才有所谓的品牌定位和广告规划。将这些广告进行媒体投放，才可以开始传播，继而影响公众对品牌的认知。传播之后，企业会通过渠道让商品和用户进行接触，最后形成有效销售。这种运营模式决定了传统的品牌是静态的、固化的，消费者只能被动接收。网红品牌则完全不同，它是由网红与"粉丝"共同运营和创造的，消费者不需要被说服，因为他们早已认同了该网红品牌，这是两者的本质区别。要知道，只有认同，才有网红。

品牌生命力不同

不同的打造方式，使品牌生命力存在差异。"粉丝"对于网红极为爱护，如果网红有缺点，他们往往能够容忍甚至鼓励，愿意帮助网红成长，因为他们认为网红的成长也意味着自我的成长。但是如果一个传统品牌出现一点纰漏，那很快会成为一个公关危机。

品牌转化率不同

从实际销售的角度来看，网红这种新型的互联网品牌的实际转化率要比传统品牌高很多。这是因为"粉丝"认为自己参与了整个过程，网红电商的商品就是自己的"孩子"，"孩子"即便有这样那样的问题，终归也是"亲生"的，大多会选择无条件支持，而传统的流量入口和广告影响的转化率却越来越低。

以上是我的品牌观里的一个重要观点——网红开创了品牌互联网化的一些创新打法。我们从网红电商身上，看到了未来品牌构建的一些重要元素。虽然大部分网红未必能够充分理解这些新的变化，撑到下一轮的竞争来临，但无论你是哪个行业的传统品牌，如果你不能尽快掌握这些创新打法，也许在明天就会被淘汰。

新品牌建设的四大基点

在大多数人的印象中，网红往往都是具有超高颜值的绝世佳人。她们只需要随便发布一些自拍，适时表达自己的心情，就能有上千万元的流水到账，仿佛她们所有的吸引力和强大的能量都源于美丽的外表。事实上，一个人漂亮与否很难有一个明确的衡量标准。燕瘦环肥，各有所好，没有任何一个人的外表能够赢得所有人的好感。所以，想要凝聚"粉丝"，真正重要的反而是鲜明的性格和独特的内涵，这些才是网红能够持续吸引"粉丝"的最主要原因。

如今，随着微信平台的强势崛起，走小众路线的、原创内容质量颇高的网红在国内井喷式出现。想要在众多网红中脱颖而出且经久不衰，就一定要有自己的一技之长。比如，在美国留过学的网红许静给我留下了很深的印象。她之所有能够拥有一批忠实的"粉丝"，是因为她懂得很多关于红酒的专业知识。她也靠分享这些知识，被"粉丝"奉为"红酒界的皇后"。打铁还得自身硬，只有综合能力过硬的网红才最具有生命力，也只有这样的网红，才能成为网红界的超级明星。

思考一下，为什么网红电商能够屹立于电商潮头成为电商新宠？原因其实在于网红电商的属性符合电商发展的潮流。随着移动互联网的不断优化和普及，中国的电子商务已经进入 3.0 时代。电商 3.0 时代最为重要的特征是社交化和移动化，不再像传统的电商时代一般，只依靠丰富的商品和低廉的价格吸引用户。在这样的大背景下，用户的购物体验越来越受到重视。

网红电商以一种"短小精悍"的存在，网罗着越来越多更能彰显店铺品位、符合用户个性的商品，服务于某一个特定的用户群体，并且以互动社交的方式维护自己的用户群，打造自己独一无二的品牌。网红本来就是一群自带流量、有强大社会影响力的人，可以影响并且引领"粉丝"的消费行为和消费趋势，通过与"粉丝"的频繁社交活动建立起极强的用户黏性，让"粉丝"和网红、网红店铺之间形成水乳交融般的深厚关系。无疑，这是一种全新的品牌建设思路。下面是我总结的新品牌建设的四个重要基点。

和消费者之间持续进行深度互动

旧品牌是被动的、单次的传播，而新品牌则是与消费者持续的互动。所谓单次，并不仅仅是数量上的概念，因为旧品牌建设也会追求覆盖率和曝光率。我们所说的单次，指的是它每一次的曝光和传播中间都是没有连续性的，没有办法持续运营，品牌与客户之间没有双向沟通，只有单向传播。

在像网红电商这种新品牌的建设过程中，互动贯穿始终。从对着装风格的讨论到具体某款衣服的设计和销售过程，以及售后服务，甚至是下一款服装应该什么时候推出、应该推出何种风格的服装，网红和"粉丝"之间持续进行着深度互动，社区建设和品牌建设同步进行。

通过个性化社交网络触达消费者

旧品牌通过中心化渠道触达消费者，而新品牌则更多地通过分布式的网络触达消费者。中心化渠道当然本身也在不断变化，从最早的央视到后来的门户，再到今天的搜索引擎，这些其实都是中心化渠道。它们对消费者的触达效果本质上差别不大，属于标准化模式，很难让消费者产生情感认同。

新品牌的建设则完全不同，它通过微信、微博、直播此类个性化的社交网络触达消费者，同时通过点评等互动的方法在消费者中口口相传，最终影响更大的消费人群。这会让消费者的认知产生很大的不同，使消费者和品牌之间产生天然的亲和感。

通过复杂的人格化表达，在消费者之间产生情感共振

传统品牌往往必须抽象成一个或者最多两三个核心要素来传播，因为中心化的渠道，类似一个几秒钟的广告，能够覆盖的内容和传达的信息都非常有限。新品牌的传播可以包含很多十分复杂的信息，并强调人格化。它可以多角度地与消费者进行持续互动，让消费者对品牌产生更多元的认知，以及更深层次的情感共振，而非一两个所谓的卖点。从简单的信息元素到越来越复杂的人格化表达，形成人与人之间的共振，这是新品牌非常重要的一个发展方向。

我们可以从网红的角度对这一点加以分析。网红的配合参与度

是比"粉丝"数量和质量更重要的指标。网红之所以能够带动"粉丝",很大一部分原因是她们塑造了极具风格的个人形象,并延伸打造成了某种生活方式的提倡者。在这个基础上与"粉丝"进行热情沟通,更加容易在"粉丝"中积累上佳的情感体验。网红与明星代言截然不同,因为网红要全情投入某个商品,使该商品成为有温度的品牌。如果电商没有和网红进行深度合作,则完全体现不出网红的商业价值。

将原本割裂的职能部门有机融合

新品牌与其他商业模式元素之间的关系,与过去相比也发生了根本性的变化。我们现在能看到的任何一个传统的企业,研发、产品、市场、渠道和生产基本上都是割裂的部门,它们之间很少有沟通和交流。在传统的快消品企业中,发布新产品基本需要两三年的周期,因为每个环节都是线性沟通,缺少配合打法——产品部门先提出一些原型,市场部门去做客户调研、反馈、修正……每个部门各行其道,即便有合作,也是相对割裂的、线性的、指令式的合作。

在未来的商业模式中,广告、零售和客户服务在很大程度上都已互联网化,当品牌这个关键职能也完成互联网化的进程之后,一个全新的商业模式由此形成,这种商业模式能够将原本割裂的职能部门有机融合为一体。

现在我们已经很难准确区分,网红在与"粉丝"互动的过程中究竟是在做广告、做内容,还是在做产品的共同设计、服务,甚至销售。很多网红电商的上新预售都能取得不错的销量，正是因为他们在前期与"粉丝"互动的过程中，已经完成所有该进行的铺垫，销售只是顺理成章的一个动作而已。

在这种新型的商业体系里，品牌建设和其他核心职能已经有机地融合在一起。这是未来的大趋势，我将其称为"社区电商"。虽然我们现在并未掌握关于社区电商的完整案例，但这种趋势不可阻挡。

在经典的品牌理论中，品牌实际上有两个核心价值，一个叫质量保证，一个叫人格认同。品牌的质量保证在今天越来越容易实现，而人格认同在整个产品服务中所占的比例越高，就越需要借助互联网社区来完成，主动参与的效果远比被动接受好得多。所以，只要你的产品当中具备较多的精神元素和情感认同元素，你的品牌互联网化的转变速度肯定会比其他品牌快得多。

第六部分

关于未来

技术革命让人类社会从工业时代进入生态时代，网络协同和数据智能是构成智能商业生态圈的DNA双螺旋，而是否拥有基于数据的高度智能，成为物种能否在此生态中生存、繁衍的基本要求。未来20年的大创新，核心就在于如何将这两条主轴创造性地应用于不同场景，带来新的价值创造。

16

"互联网×"：传统产业的重构

如今，大家都很喜欢讨论的"互联网+"是传统企业和互联网方法的叠加，但是真正具有革命性的模式是乘法而非加法，是全新的DNA和商业模式，而非仅仅利用新手段解决旧问题。互联网的红利期已接近尾声，下半场是通用技术广泛使用带来的结构性升级，如云计算、大数据、机器学习等，这些技术对商业的影响犹如历史上的电力。

其实，如今"互联网×"的样板企业还没有出现，因为大部分的人还在做升级（加法），而不是改造重构（乘法）。接下来，传统打法和互联网打法都需要超越融通，而不是简单叠加，这个过程需要相当时间的积累。

"互联网+"：
不是叠加，而是融合

随着互联网的高速发展，传统行业如何应对就变成了一个日益紧迫的挑战。企业的发展史，就是一部人类技术、工具变革的历史。回顾一下互联网对传统行业现已产生的影响——从线下到线上，从人类智能到人工智能，从不透明到透明等——我们就会知道，传统企业已经被互联网裹挟着走上了一条自我颠覆的不归路。

一直以来，互联网与传统行业之间的关系就极为微妙：一方面，互联网的兴起给传统行业的发展带来了巨大的冲击，比如淘宝的出现让很多传统零售商的发展举步维艰；另一方面，在互联网的步步紧逼下，传统行业开始放低身段，拥抱互联网，试图借助互联网的东风赢得新的发展契机，比如，互联网金融的兴起倒逼传统银行加速转型创新等。两相交错，很多人都在疑惑：互联网与传统行业之间到底是零和游戏，还是可以携手共赢一同找到夹缝中的第三条路？

2015年，"互联网+"成为家喻户晓的热词。

　　我们看到了传统企业拥抱互联网的各种尝试：或者自建直销网站和App，或者通过淘宝、天猫、京东、唯品会等电商平台进行线上销售；通过各种方式，将会员体系在线化；在微博、微信等社交平台上开始尝试在线品牌传播与社群互动；将广告投放大量向线上渠道倾斜；一些更勇敢的企业甚至开始在内部建立创新的小团队，给他们更大的自主权，提升应对市场变化的速度……

　　毫无疑问，这些努力令人尊敬，也获得了相当成效，但并不足以缓解传统企业在互联网时代的焦虑。

　　问题出在哪里？

　　首先，在"互联网+"的语境下，所有这些努力都把互联网方法视为工具和手段，用于提升原有体系中某些环节或局部的效率，目标指向是优化，而非模式的重构。而在这个时代，更重要的是"互联网方法论"，而不是"方法"，真正需要改变的是企业和用户的关系，或者说是整个价值创造过程，而非单一环节的效率提升。

　　所有这些局部的努力，专注于提升企业的原有经营指标，使得互联网工具所发挥的作用有限。线上销售、线上会员服务、线上广告投放、线上营销互动，所有这些，如果不能有机地与"供给侧"结合，通过连续性互动发现需求，以需求发现驱动设计、采购、生产的快速连锁反应，就无法实现极致的用户体验，就会在新型创业公司面前虚弱无力。

　　其次，传统企业并未意识到，互联网不仅仅是与用户的简单连接，其内核是互动，是数据驱动的互动，"互联网+"仅有连接的

"形"，而没有数据和算法的"魂"，相当于在公路上跑着的马车，其局限性一目了然。

更深刻的一点是，互联网与传统产业的融合是一个漫长而痛苦的过程，从底层认知到能力再到组织的结构，都需要痛苦地打破、重建，而且整个过程充满不确定性。"互联网＋"的参与者显然对此缺乏准备。

在我看来，"互联网＋"把互联网与传统行业之间的关系提升到了一个前所未有的高度，但二者的关系不应是简单叠加，而应是高度的生态融合；不是取代和颠覆，而是优化和升级。"互联网＋"就是要利用互联网的平台和信息通信技术，把互联网和包括传统行业在内的各行各业结合起来，在新的领域创造一种新的生态。简而言之，"互联网＋"不是要颠覆传统行业，而是要通过与传统行业融合，产生 1+1 ＞ 2 的效果。如能实现这样的预期，那么便不再是简单的加法效应，而是一种乘法倍增。这也是我接下来要阐述的一个新概念——"互联网×"。

在未来，互联网作为一个行业可能会从人们的生活中销声匿迹，因为互联网与传统行业的高度融合会让各行各业都被打上互联网的烙印。到那时候，互联网与传统行业的界限将会变得非常模糊。

新的行业生态已经形成，传统行业要么优化升级，要么被淘汰。毫无疑问，在这个过程中，一些传统企业将被彻底颠覆，那些留下的企业将会变得更为强大。

"互联网×"：
新时代的开创者

虽然"互联网＋"的概念非常吸引人，遗憾的是，到目前为止业界似乎尚未出现公认成功的案例。经过仔细地思考和推敲后，我觉得可能单是"互联网＋"还远远不够，真正能够起到巨大作用的，应该不仅是"互联网＋"，更应该是"互联网×"。

这个过程刚刚开始。真实世界里，我们能够观察到的只是各种碎片化的雏形和轮廓：英语"流利说"的AI老师，使得个性化教育、按效果付费在外语学习领域成为可能；网红模式，实现了基于内容的用户互动、需求发现和柔性化生产的结合，极大地降低了库存……

互联网与传统行业的相加，这种思维想象是一种物理反应，是运用比较简单的互联网手段，例如网络直销、微博传播，获得比较明显的竞争优势。如果做一种比较粗浅的归类，曾经被称作红利的往往都是"互联网＋"带来的短暂优势。互联网如果真正要更新一个时代，需要做的是乘法，是用网络协同和数据智能这个DNA完成对传统行业的解构与重构，这种转基因的过程是一个化学反应，并且是一个非常困难的挑战。

为什么近几年推出的新零售、新金融、新制造等概念一提出来就得到大家的认同？原因其实很简单：一方面，有些行业中的网络销售占比已经过半，所谓互联网红利的确已经过去，简单的互联网手段已经不再产生作用；另一方面，传统零售业早已是强弩之末，面临巨大的生存压力，出路只能是进一步创新。

历史已经给了我们一些很清晰的借鉴，一场通用技术的大变革（如电的发明）往往会经历两个大的发展阶段。

第一个阶段是这个技术本身的大发展和直接基于这个新技术的新应用大发展。例如1893—1915年，发电设备、发电厂、电网、电灯等产品的高速发展。大家熟悉的通用电气公司，就是这个阶段诞生的标杆型企业。这一次的电气革命不仅影响了人们的生活，而且在很大程度上改变了人们思考和生活的方式。

第二个阶段是通用技术逐渐成熟，并开始被应用到社会的各个方面，成为社会的通用技术基础，开始全面改变传统的产业结构。例如电的应用进入第二个阶段的标志性事件，就是福特汽车建立的第一条电力驱动的复杂的现代化流水线，福特汽车成为这个阶段诞生的标志型企业。

所以，我认为互联网的下半场，就是一个利用互联网这种通用技术的大创新，全面重构传统产业的过程。毫无疑问，这将是一个艰难痛苦的过程，同时也是"互联网×"的"炼丹炉"。能够胜出的企业需要产业和互联网基因的再融合，产生真正的化学反应，才能创造出我们现在还无法想象的未来。虽然目前还没有很成功的"互联网×"的样板企业，但是有些观察已经给我们提供了一些借鉴和参考。

第一，在大变革时代，由于"三浪叠加"战略，选择变得更加困难。我们之前已经了解了"三浪"的概念，也就是 1.0、2.0 和 3.0 模式。结合我们现在的讨论就会发现，基本上可以将 1.0 模式看成传统产业的升级，例如消费升级带来的机会。2.0 的模式在很大程度上是互联网化，也就是利用互联网的一些工具进行效率上的提升。在很多行业中，互联网化也是刚刚开始，还存在很长时间的红利阶段。即使在高度互联网化的行业，例如女装，其中还有很多环节的互联网化也是刚刚开始，生产环节就是如此。

到 3.0 模式，指的就是在互联网平台上，用网络协同和数据智能的方法进行重构。当然第三浪肯定是未来的选择，但是如果没有第一浪和第二浪的积累，第三浪也不会凭空出现。但如果只是将眼光聚焦在第一浪和第二浪上，当决战的第三浪开始时，你可能发现自己根本就不在前线，甚至连竞争的入场券都没有。所以大变革时代的竞争对创业者的愿景、战略、战术三方面结合的能力要求很高，只有具备这些能力，创业者才能在迭代中快速演化。

第二，我希望帮大家认清在互联网领域没有所谓的"梦之队"。我遇到过很多传统行业转型互联网的领导者，他们都非常希望能够找到一个互联网高手，帮他们搞定一切关于互联网的事情，但很遗憾的是，我几乎没有看到成功的企业。一方面，如果你自己不理解互联网，就很难充分授权给一个所谓的互联网高手；另一方面，在互联网发展的下半场，上半场的成功经验不一定能够直接运用，互联网的本质怎么和一个行业的本质融会贯通，这是目前任何人都没有什么经验的大创新。所以这个时候招聘人才，最重要的应该是看他的学习能力和创新能力，而不是过往的经验。也许越是互联网上半场中的悍将，他们擅长的套路越经不住这一轮融合的煎熬。反而是有一定的互联网经验、年轻好学、愿意从头做基本工作、有共同信仰的人，起用他们远比起用所谓的互联网高手成功的概率要高。

第三，"互联网×"的创业很难通过资本的力量快速催生，它必须经过一个比较长的孕育期。过去几年，从美团到滴滴、共享单车，再到共享充电宝，创业的成功和快速投入海量资本有很大的关系。但 2018 年以来共享单车的退潮、P2P（点对点网络借款）金融的崩塌已经证明，简单的技术模型，叠加粗暴的运营，并不代表就是未来的模式。其实阿里、腾讯都经过五六年甚至更长的艰苦孕育才有后面的厚积薄发，这一轮"互联网×"的创业则需要一个更长的痛苦的孕育期，而且无法用资本的方法催生，新的创业者要有足够的耐心。

"互联网×"和"三浪叠加"都在试图讲一件事，就是当大家都困惑的时候，你能否保持清醒，这时候的判断可能真的决定了在未来的十年中谁是新一代的商界领袖。现在太多的人都停留在所谓 BAT（百度、阿里巴巴、腾讯）的阴影下，认为互联网创业已经没有机会了。实际上，如果将我们在这里讨论的这些概念，甚至任何一个概念放到一个传统行业，让它产生化学反应，都很有可能创造巨大的价值。

"互联网×"会开创一个新的时代，这是整个中国经济在互联网和数据时代升级的大机会。在这个机会中，很可能会诞生一大批新的行业领导者，而成为领导者的条件就是你是不是真的了解和相信这个时代。

新文明：感受未来已来

关于智能商业，我们已经说得太多，但关于整个社会面临的大未来，我们说得很少。到了尾声，我想跳出智能商业的范畴，和大家谈谈未来，谈谈互联网的发展究竟将对我们每个企业的未来、每个人的生活和整个人类文明带来怎样的变革，产生什么影响。

天下大势，"合"以贯之。人类社会的发展，就是合作网络不断扩张的过程。虽然人类的大脑是自然界已知生物中演化最快的，但人类文明的演进，更多的是源于群体合作的快速发展所创造的巨大价值，而不是个体的进化。从二三十个原始人的自然群落，到部落、氏族、联盟、城市、国家，再到今天诸如脸书上几十亿人的社交网络，以及淘宝上千万级的商家网络……合作越来越宽广深入，人的社会属性也相应地越来越强。

合作的演化建立在技术和制度两个基础之上。

技术：
通信成本越来越低，信息的传播越来越便利

沟通效率的不断提升，得益于"信息技术"的一日千里——从语言的产生、最原始的结绳记事，到烽火传信、日行八百里的驿站、印刷术和造纸术，再到近代的电报、电话，以及现在无所不在的移动网络和智能手机，信息技术已经成为人类文明之光绵延至今且日趋辉煌的重要保障之一。

制度：
信任越来越容易建立

社会制度的不断革新，包括语言、国家、法律和文化的发展，很大程度上都是为了让更大范围内的陌生人之间更加容易地建立信任关系。

现代化是全球化的基础。以互联网为代表的信息革命，将沟通的便利性提升到了一个前所未有的高度。物联网的发展目标，就是把全世界（包括所有的人和物）都连成一个网络，"万物互联，实时互动"将成为未来社会最根本的特征之一。类似脸书、优步这样的平台，之所以能在短短的几年内覆盖全球人口的很大比例，正是基

于这样一个开放的全球网络基础，而这只是整个大趋势的开始。

与此同时，开放和共享的互联网技术、机制和内在的逻辑，也推动了信任在更大的范围内建立，合作也因此有了全新的可能性。从 1991 年的 Linux（操作系统）开源社区，到 2000 年之后的维基百科、Hadoop（一个分布式系统基础架构）、GitHub（一个面向开源和私有软件项目的托管平台），再到 2015 年谷歌的 TensorFlow 人工智能开源平台和 2016 年百度的深度学习开源平台 PaddlePaddle……基于在线网络的全球大规模开放协同，极大地加速了互联网技术进步的进程，而技术进步本身又为协同赋能。尤其是 21 世纪初出现的云计算、大数据、机器学习井喷式的发展浪潮，把人类带到了一个人工智能大爆炸的全新时代，数据智能正在快速成为生产力提升的源泉。换句话说，数据智能就是生产力。

沿着历史演进的脉络，技术进步让人类社会从工业时代进入生态时代。万物互联的网络就是这个生态的载体，而是否拥有基于数据的智能，将成为物种能否在这个大生态内生存、繁衍的基本要求。网络协同和数据智能是构成生态文明 DNA 的双螺旋，也是阴阳和合的两面。这两个元素加在一起，共同构成了我们未来的方法、机制、制度乃至价值观的灵魂。未来 20 年，大创新的核心都在于如何将这两个基本原则创造性地应用于不同的场景，从而带来新的价值创造。

站在通往未来的门槛边缘，我们直觉地意识到，未来取决于人类群体智慧的进步和机器智能快速发展之间的纠缠。

商业的内在逻辑正在被重写，我们在为此欢欣鼓舞的时候，还应该清醒地认识到，在机器联网后，人类在发挥个体创造性的同时，能否通过协同网络形成某种更高层级的群体智慧，将影响人类未来的整体生存状态。

毫无疑问，这些基本原则并不仅限于商业领域，整个人类社会都将因此发生巨大的变化：当人的重复性脑力劳动都在快速被机器智能取代的时候，创造力便成为人类的基本贡献。相应的教育体系、社会分配体系、我们对自身以及所处社群的认知，甚至我们对幸福和痛苦的理解，都将随之发生根本改变。

任何事物的发展都有两面性，网络和智能一方面使得更有创造性、更有价值的工作拥有了更低的进入门槛、更多的实现渠道和更好的收入水平，这是我们的希望所在。但另一方面它们也使得很多简单重复且缺乏创造力的工作岗位被大量替代，从这个角度看，无疑又是绝望之音。

纵观历史，我们要看到时代发展的大势所趋。如果说农业时代是经验的时代，工业时代是知识的时代，那么互联网和数据时代就是创造力的时代。未来，无论是工作还是生活，将由人类的想象力驱动向前，一切都将围绕创造展开。经济学家周其仁有一句话概括得非常到位："文明的一次次传承和复兴，就是一步步找回对人的尊重。"人不应该做那些重复性的工作，而应该多做创造性的工作，这个想法一脉相承，一直引领着人类的文明之火绵延至今。

我们当前的很多担忧，其实是在用既有的价值观、规则机制和法律体系来看待未来可能出现的问题。被我们忽略的，恰恰是人类主动基于整体利益去建立新的价值观、规则和法律的能力。

人类的整个历史进程，就是以更新的技术，在更大的群体范围内，共同寻找更优的解决方案，积累更大的文明成果。

在整本书的写作过程中，我一直都在试图从商业的角度探讨如何构建未来的智能商业，甚至是它的社会基础原则。也许基于过去二十几年互联网的演化，我们发现了未来的一些基本规律，但在本书行将完结之际，我之所以要从新文明的角度再去探讨未来的可能性，是因为我们今天能够想象到的，都可能仅仅是未来极小的一部分。未来将要发生的一切，会极大地超越我们今天所有的想象。

历史上充满了这种看似荒谬的预测，在20世纪40年代计算机刚刚被发明的时候，IBM的首席执行官就曾提到全世界只需要几台计算机就够了，时至今日，计算机已经成了整个人类社会最基础的设备。

仅仅十年前，任何一个普通人都毫无心理准备，自己的生活将因智能手机的普及而截然不同。所以，当我们今天在质疑人工智能、区块链到底能走多远的时候，唯一制约我们的可能就是自己的想象力。

我们今天讨论的一切到底会对人类社会的基本结构产生何种影响，这本身也是一件远远超出我们想象力的事。如果未来真的有一天，人工智能在短时间内大规模地取代人类，那么这个社会应该靠何种机制运作？美国已经有人开始讨论是否需要社会每年投入巨额补贴，把这批被取代的人养起来。但是养他们的目的何在？他们在社会中该起什么样的作用？他们将扮演何种角色？这些问题同样值得我们深入思考。

人类经过 1000 多年的努力，终于在平等自由的基础上建立了所谓的现代文明体系，但是当技术让我们拥有了新的可能性时，国家、社会、民族、自由、宗教，所有这些我们习以为常的概念可能都将挑战我们想象的极限。未来究竟怎么样，谁也无法预知，我们唯一能做的就是把握好现在，紧紧跟随时代发展的脚步，永不停息。

致　谢

本书的写作首先要感谢的当然是 150098 名阿里人。正是大家持续努力，才有了阿里巴巴今天的成就。正是这样的实践，才让我有机会在互联网的最前沿尝试、观察和思考。

其中最需要感谢的是马云先生。他是真正的思想家和战略家。本书有非常多的想法都直接受到了他的影响和启发，无法一一指出。同时，他在阿里巴巴给我提供了独特的岗位和发挥空间，这是我成长的基础。知遇之恩，难以言表。

这 12 年有太多阿里巴巴的同事给了我种种帮助和支持，无法一一列举。特别需要感谢的是前战略部和前参谋部的各位同事，大家数十次通宵达旦的讨论才碰撞出了思想的火花。在本书长达 6 年的调研、写作过程中，余力作为我的合作伙伴，提供了无私的支持。书稿最终确定，她是最重要的推动者和合作者。张笑凡和李俊林独特的思考也对我有很大启发。尼克（Nick）、郭力、朱雨晨、杨疆、宋斐参与了很多篇章的写作。

感谢湖畔大学的同学和同事，以及这些年我在世界各地碰到的众多创业者和企业家，大家无私的分享给我提供了源源不断的滋养。

这 12 年正好也是我的家庭的成长时期。没有太太谭清的全力支持和众多牺牲，就没有我今天的些许成就。没有更多的时间陪伴三个小孩——曾琦峰、曾冠霖、曾薪嘉成长，陪伴父母，是我最大的遗憾和愧疚。你们的陪伴一直让我最开心。谢谢！

这 12 年有很多老师和朋友在宗教、精神、人生、生活等方面给了我很大的启迪和帮助。感恩三宝的加持，感恩生命的慧赐。

在这 12 年的思考和写作过程中，我一次次回到经典，汲取养分。它们的思想，历久弥新，是我真正的思想导师。谨以此书，献给彼得·德鲁克、阿尔弗雷德·钱德勒、罗纳德·科斯、道格拉斯·诺斯、亚当·斯密、曾参、孙武和王宗岳。